日本語
教科書

NIHONGO

Japonés para hispanohablantes

KYOOKASHO

Libro de texto / 1

教科書

Junichi Matsuura
Lourdes Porta Fuentes

Herder

Diseño de la cubierta: Claudio Bado
Ilustraciones: Ramón Vilamajó y Claudio Bado

© *1999, Junichi Matsuura y Lourdes Porta*
© *1999, Herder Editorial S.L., Barcelona*

1.ª edición, 8.ª impresión, 2016

ISBN: 978-84-254-2051-1

Imprenta: Tesigraf
Depósito Legal: B-9.988-2009
Printed in Spain

Herder
www.herdereditorial.com

ÍNDICE

Uso enfático de la partícula **wa**
Uso de la partícula **mo**
Apuntes: Aficiones (deportes, música, cine, lectura)
Vocabulario

INTRODUCCIÓN

El estudio del japonés como lengua extranjera es un fenómeno relativamente nuevo en España y ha experimentado un auge importantísimo en los últimos años. Esta realidad nos ha hecho plantear la conveniencia de la actualización y diversificación del material didáctico.

El objetivo final de un método de cualquier lengua extranjera —al igual que el del profesor que se enfrenta a la planificación de un curso— es que el estudiante adquiera la capacidad de comunicarse de manera efectiva en esta lengua. Esta competencia la adquirirá mediante una práctica docente que potencie el uso de la lengua con una finalidad comunicativa.

Este objetivo y las propuestas comunicativas pueden ser, sin embargo, extensibles a la enseñanza de cualquier lengua extranjera. Nosostros, a la hora de elaborar este método de japonés, los tomamos como premisa para centrarnos en las características de la lengua japonesa y en las especificidades del estudiante al que nos dirigimos.

LA LENGUA

El japonés es una lengua aglutinante, es decir, que la estructura de las palabras se compone de elementos morfológicos independientes con significado propio que se unen y separan con facilidad. El mecanismo de unión y separación de estos elementos morfológicos no es sencillo de asimilar para un alumno cuya lengua materna es una lengua románica. Además, la propia longitud de las palabras —a ningún profesor de japonés le son ajenos los tartamudeos ante palabras como *atatakakunakattadesu*— exige una especial insistencia en las actividades de práctica formal de la lengua.

EL ALUMNO

El alumno al que nos dirigimos es una persona cuya lengua materna presenta muy pocas similitudes con la japonesa y que, además, no está sujeto a un proceso de inmersión lingüística. Este hecho —que estudie japonés fuera de Japón—, unido a la complejidad de la morfoxintaxis japonesa, hace necesaria una diversificación de las actividades.

EL MÉTODO

Nihongo es un conjunto de material didáctico compuesto por dos libros de texto: *Nihongo. Kyookasho I* y *II*; dos cuadernos de ejercicios complementarios: *Nihongo. Renshuu-choo I* y *II*; y una gramática: *Nihongo. Bunpoo*.

Nihongo. Kyookasho I consta de trece lecciones, divididas en dos partes. El contenido se estructura según funciones y contenidos gramaticales. Cada una de las lecciones contiene una conversación, estructuras gramaticales, ejercicios de expresión oral y ejercicios de expresión escrita. Al final de cada lección hay un apartado llamado *Apuntes* y una lista de vocabulario.

En la conversación se presentan situaciones de la vida cotidiana japonesa. Aunque se encuentran condicionadas por el techo comprensivo del alumno, las conversaciones son normales, no simplificadas, e incluyen, si es necesario, expresiones en honorífico o en japonés coloquial desde las primeras lecciones. Las conversaciones están traducidas al español en un apéndice al final del libro.

Las nuevas estructuras gramaticales que se introducen en la lección se presentan de una manera esquemática –la explicación suplementaria se encuentra, en español, en el libro de gramática– y van seguidas de ejemplos.

También ofrecemos diversas actividades de expresión oral y escrita. Nuestra práctica docente nos ha llevado a intensificar la práctica de las formas gramaticales, pero hemos encuadrado estos ejercicios de práctica formal en situaciones comunicativas y hemos intentado que las actividades sean interactivas y motivadoras.

En el apartado **Apuntes** tratamos temas secundarios que, si bien requieren una explicación que vaya más allá de la simple traducción, no son tan importantes como para convertirse en tema central. Detrás de **Apuntes** se escuentra una lista complementaria de vocabulario.

Respecto a la escritura, creemos conveniente acostumbrar al alumno desde las primeras etapas del aprendizaje al **kana-majiri**, mezcla de carácteres y silabarios **hiragana** y **katakana** que componen la escritura japonesa. En consecuencia, desde la primera lección hemos optado por escribir en un japonés normal, si bien, para facilitar la lectura durante el proceso paulatino de aprendizaje de los caracteres, de la lección 1 a la 4 se ha añadido la transcripción –mediante el sistema *Hepburn* o **Hebon-shiki**– debajo de la frase japonesa y, a partir de la lección 5, la pronunciación de los caracteres encima (**furigana**).

Reiteramos aquí nuestro objetivo final: que este material didáctico facilite al estudiante la adquisición y desarrollo de su competencia comunicativa y, al profesor, la práctica docente de la lengua japonesa.

Junichi Matsuura y Lourdes Porta

| 会話 1 | Kaiwa 1 | *Conversación 1* |

学生会館で (Gakusei-kaikan de)

マリア：	はじめまして。マリアです。スペイン人です。どうぞよろしく
Maria	Hajimemashite. Maria desu. Supein-jin desu. Doozo yoroshiku
	おねがいします。
	onegai shimasu.
ジョン：	はじめまして。ジョンです。どうぞよろしくおねがいします。
Jon	Hajimemashite. Jon desu. Doozo yoroshiku onegai shimasu.
マリア：	お国はどちらですか。
Maria	O-kuni wa dochira desu ka.
ジョン：	アメリカです。
Jon	Amerika desu.
	お仕事は何ですか。
	O-shigoto wa nan desu ka.
マリア：	仕事はしていません。学生です。ジョンさんは。
Maria	Shigoto wa shite imasen. Gakusei desu. Jon-san wa?
ジョン：	私はデザイナーです。
Jon	Watashi wa dezainaa desu.
	あの人はだれですか。
	Ano hito wa dare desu ka.
マリア：	あの人はリーさんです。中国人です。
Maria	Ano hito wa Rii-san desu. Chuugoku-jin desu.
ジョン：	あの人も学生ですか。
Jon	Ano hito mo gakusei desu ka.
マリア：	さあ、分かりません。
Maria	Saa, wakarimasen.

| 文型 1 | Bunkei 1 | *Modelo 1* |

① はじめまして。ライオスです。ハンガリー人です。どうぞよろしく。
   Hajimemashite. Raiosu desu. Hangarii-jin desu. Doozo yoroshiku.

② A：はじめまして。尾崎と申します。
      Hajimemashite. Ozaki to mooshimasu.
   B：上田です。どうぞよろしくおねがいいたします。
      Ueda desu. Doozo yoroshiku onegai itashimasu.
   A：こちらこそ。どうぞよろしくおねがいいたします。
      Kochira koso. Doozo yoroshiku onegai itashimasu.

③ 吉本さんは日本人です。
   Yoshimoto-san wa nihon-jin desu.

文型2	Bunkei 2	*Modelo 2*

A：尾崎さんは会社員ですか。
   Ozaki-san wa kaishain desu ka.
B：はい、会社員です。／はい、そうです。
   Hai, kaishain desu./ Hai, soo desu.

A：上田さんは弁護士ですか。
   Ueda-san wa bengoshi desu ka.
B：いいえ、弁護士ではありません。／いいえ、ちがいます。
   Iie, bengoshi dewa arimasen./ Iie, chigaimasu.

① A：セルヒオさんはスペイン人ですか。
      Seruhio-san wa supein-jin desu ka.
   B：いいえ、ちがいます。セルヒオさんはペルー人です。
      Iie, chigaimasu. Seruhio-san wa peruu-jin desu.

② A：ポールさんはオーストラリア人ですか。
      Pooru-san wa oosutoraria-jin desu ka.
   B：はい、ポールさんはオーストラリア人です。／はい、そうです。
      Hai, Pooru-san wa oosutoraria-jin desu./ Hai, soo desu.

③ A：あの人はだれですか。
      Ano hito wa dare desu ka.
   B：あの人はコロンビアのルイスさんです。
      Ano hito wa Koronbia no Ruisu-san desu.
   A：ルイスさんは銀行員ですか。
      Ruisu-san wa ginkooin desu ka.
   B：いいえ、弁護士です。
      Iie, bengoshi desu.

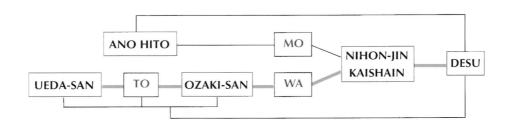

① A：トムさんはイギリス人ですか。

Tomu-san wa igirisu-jin desu ka.

B：はい、トムさんはイギリス人です。／はい、そうです。

Hai, Tomu-san wa igirisu-jin desu./ Hai, soo desu.

A：ポールさんもイギリス人ですか。

Pooru-san mo igirisu-jin desu ka.

B：はい、ポールさんもイギリス人です。／はい、そうです。

Hai, Pooru-san mo igirisu-jin desu./ Hai, soo desu.

② A：田中さんは会社員ですか。

Tanaka-san wa kaishain desu ka.

B：はい、そうです。

Hai, soo desu.

A：松本さんも会社員ですか。

Matsumoto-san mo kaishain desu ka.

B：いいえ、松本さんは会社員ではありません。看護婦です。

Iie, Matsumoto-san wa kaishain dewa arimasen. Kangofu desu.

③ 上田さんと尾崎さんは会社員です。

Ueda-san to Ozaki-san wa kaishain desu.

④ 上田さんは会社員です。尾崎さんも会社員です。

Ueda-san wa kaishain desu. Ozaki-san mo kaishain desu.

⑤ あの人は弁護士のキムさんです。

Ano hito wa bengoshi no Kimu-san desu.

⑥ はじめまして。私はフィリピンのエリザベスです。どうぞよろしく。

Hajimemashite. Watashi wa Firipin no Erizabesu desu. Doozo yoroshiku.

⑦ マックスさんとオットーさんはオーストリア人です。

Makkusu-san to Ottoo-san wa oosutoria-jin desu.

練習1	Renshuu 1	*Práctica 1*
例のように言いなさい。	Rei no yoo ni iinasai.	*Practica siguiendo los ejemplos*

A：尾崎さんは日本人ですか。
　　Ozaki-san wa nihon-jin desu ka.
B：はい、そうです。
　　Hai, soo desu.

A：マリアさんも日本人ですか。
　　Maria-san mo nihon-jin desu ka.
B：いいえ、マリアさんはスペイン人です。
　　Iie, Maria-san wa supein-jin desu.

ジョン
Jon
アメリカ
Amerika
デザイナー
Dezainaa

マリア
Maria
スペイン
Supein
学生
Gakusei

尾崎
Ozaki
日本
Nihon
会社員
Kaishain

マックス
Makkusu
オーストリア
Oosutoria
医者
Isha

ハイメ
Haime
メキシコ
Mekishiko
カメラマン
Kameraman

キム
Kimu
韓国
Kankoku
弁護士
Bengoshi

上田
Ueda
日本
Nihon
会社員
Kaishain

ジョルジオ
Jorujio
イタリア
Itaria
ジャーナリスト
Jaanarisuto

リー
Rii
中国
Chuugoku
先生
Sensei

ミヒャエル
Mihyaeru
ドイツ
Doitsu
エンジニア
Enjinia

松本
Matsumoto
日本
Nihon
看護婦
Kangofu

エリザベス
Erizabesu
フィリピン
Firipin
アナウンサー
Anaunsaa

会話 2	Kaiwa 2	*Conversación 2*

（日本語学校の登録の受け付け）(Nihongo-gakkoo no tooroku no uketsuke)

係の人 :	お名前は何ですか。
Kakari no hito	O-namae wa nan desu ka.
ジョン :	ジョン・ホールです。
Jon	Jon Hooru desu.
係の人 :	お国はどちらですか。
Kakari no hito	O-kuni wa dochira desu ka.
ジョン :	アメリカです。
Jon	Amerika desu.
係の人 :	お仕事は何ですか。
Kakari no hito	O-shigoto wa nan desu ka.
ジョン :	デザイナーです。
Jon	Dezainaa desu.
係の人 :	どうもありがとうございました。
Kakari no hito	Doomo arigatoo gozaimashita.

文型 1	Bunkei 1	*Modelo 1*

> お名前は何ですか。
> O-namae wa nan desu ka.

> お仕事は何ですか。
> O-shigoto wa nan desu ka.

> お国はどちらですか。
> O-kuni wa dochira desu ka.

① A : お名前は。
   O-namae wa ?

 B : ユハニです。フィンランド人です。どうぞよろしくおねがいします。
   Yuhani desu. Finrando-jin desu. Doozo yoroshiku onegai shimasu.

 A : はじめまして。テレサです。アルゼンチン人です。どうぞよろしく。
   Hajimemashite. Teresa desu. Aruzenchin-jin desu. Doozo yoroshiku.

練習 1 国と職業を聞きなさい。	Renshuu 1 Kuni to shokugyoo o kikinasai	*Práctica 1* *Pregúntales el país y la profesión*

1 テレサ・サンチェス
Teresa. Sanchesu
2 アルゼンチン
Aruzenchin
3 エンジニア
Enjinia

1 ジョルジオ・ベルトラーニ
Jorujio. Berutoraani
2 _____
3 _____

1 ジュン・ディング
Jun Dingu
2 _____
3 _____

1 ペーター・シュミット
Peetaa Shumitto

2 _____

3 _____

1 ピーター・ハリソン
Piitaa Harison

2 _____

3 _____

1 ホセ・マルティネス
Hose Marutinesu

2 _____

3 _____

1 メアリー・オサリバン
Mearii Osariban

2 _____

3 _____

1 カビール・メータ
Kabiiru Meeta

2 _____

3 _____

1 イリナ・ペトロフナ
Irina Petorofuna

2 _____

3 _____

練習2 次の言葉を国と職業に 分けなさい。	Renshuu 2 Tsugi no kotoba o kuni to shokugyoo ni wakenasai.	Práctica 2 Divide las siguientes palabras en países y profesiones

アナウンサー
Anaunsaa
デンマーク
Denmaaku
先生
Sensei
キューバ
Kyuuba
韓国
Kankoku
政治家
Seijika
日本
Nihon
フィンランド
Finrando
建築家
Kenchikuka
エンジニア
Enjinia
フランス
Furansu
銀行員
Ginkooin
カナダ
Kanada
秘書
Hisho

カメラマン
Kameraman
医者
Isha
ウルグアイ
Uruguai
ジャーナリスト
Jaanarisuto
弁護士
Bengoshi
中国
Chuugoku
消防士
Shoobooshi
スペイン
Supein
メキシコ
Mekishiko
警察官
Keisatsukan
パイロット
Pairotto
ドイツ
Doitsu
美容師
Biyooshi
会社員
Kaishain

職業
Shokugyoo

国
Kuni

練習3 自分のこととクラスメート のことを書きなさい。	Renshuu 3 Jibun no koto to kurasumeeto no koto o kakinasai	Práctica 3 Escribe sobre ti mismo y tus compañeros de clase

私は_____。
Watashi wa
_____さんは_____。
　　　　　　san wa
_____さんは_____。
　　　　　　san wa
_____さんは_____。
　　　　　　san wa

Pronombres personales

Singular

	1ª persona	2ª persona	3ª persona
Formal	わたし Watashi	あなた Anata	あのかた Ano kata
Informal	ぼく (masc.) Boku あたし (fem.) Atashi	きみ (masc.) Kimi	あのひと (él, ella) Ano hito かれ (él) Kare かのじょ (ella) Kanojo
Muy informal	おれ (masc.) Ore	おまえ (masc.) Omae	あいつ (masc.) Aitsu

Plural

	1ª persona	2ª persona	3ª persona
Formal	わたしたち Watashitachi	あなたがた Anatagata	あのかたがた Ano katagata
Informal	ぼく（ら／たち） Boku (ra / tachi) あたし（ら／たち） Atashi (ra / tachi)	きみ（ら／たち） Kimi (ra / tachi)	あのひとたち Ano hitotachi (ellos, ellas) かれら (ellos) Karera かのじょら (ellas) Kanojora
Muy Informal	おれ（ら／たち） Ore (ra / tachi)	おまえ（ら／たち） Omae (ra / tachi)	あいつら Aitsura

(masc.): Usado por hombres. Incluye la forma plural correspondiente (bokura, etc.)

(fem.): Usado por mujeres. Incluye la forma plural correspondiente (atashira, etc.)

語彙	Goi	Vocabulario

いいえ	iie	*(adverbio) No*
課	ka	*lección*
学生会館	gakusei-kaikan	*residencia de estudiantes*
学校	gakkoo	*escuela*
会話	kaiwa	*conversación*
国	kuni	*país*
語彙	goi	*vocabulario*
仕事	shigoto	*trabajo, profesión*
職業	shokugyoo	*profesión*
だれ	dare	*(pron. interrog.) Quién*
どちら（どこ）	dochira (doko)	*(adverbio interrog.) Dónde*
名前	namae	*nombre*
何	nan / nani	*(pron.interrog.) Qué*
日本語	nihongo/nippongo	*lengua japonesa*
はい	hai	*(adverbio) Sí*
人	hito	*persona*
文型	bunkei	*modelo oracional*
練習	renshuu	*ejercicio*

職業	Shokugyoo	Profesiones
アーティスト	aatisuto	*artista*
アナウンサー	anaunsaa	*locutor*
医者	isha	*médico*
エンジニア	enjinia	*ingeniero*
会社員	kaishain	*empleado de una empresa*
学生	gakusei	*estudiante*
歌手	kashu	*cantante*
カメラマン	kameraman	*fotógrafo / Cámara*
観光ガイド	kankoo gaido	*guía turístico*
看護婦	kangofu	*enfermera*
教師	kyooshi	*profesor*
銀行員	ginkooin	*empleado de un banco*
警察官	keisatsukan	*policía*
建築家	kenchikuka	*arquitecto*
公務員	koomuin	*funcionario*
作家	sakka	*escritor*
ジャーナリスト	jaanarisuto	*periodista*

女優	joyuu	*actriz*
スポーツ選手	supootsu senshu	*deportista*
主婦	shufu	*ama de casa*
先生	*sensei*	*profesor*
大工	*daiku*	*carpintero*
デザイナー	*dezainaa*	*diseñador*
店員	*ten´in*	*dependiente*
農民	noomin	*agricultor*
俳優	haiyuu	*actor*
パイロット	pairotto	*piloto*
秘書	hisho	*secretaria*
美容師	biyooshi	*peluquera*
弁護士	*bengoshi*	*abogado*
漁師	*ryooshi*	*pescador*
ウェーター	weetaa	*camarero*
ウェートレス	weetoresu	*camarera*

国	Kuni	Países

Nombre del país	+	JIN	Nacionalidad
	+	GO	Lengua oficial *

アイルランド	Airurando	*Irlanda*
アメリカ合衆国	Amerika gasshuukoku	*Estados Unidos*
アルジェリア	Arujeria	*Argelia*
アルゼンチン	Aruzenchin	*Argentina*
イギリス	Igirisu	*Reino Unido*
イタリア	Itaria	*Italia*
イラン	Iran	*Irán*
インド	Indo	*India*
インドネシア	Indoneshia	*Indonesia*
ウルグアイ	Uruguai	*Uruguay*
エクアドル	Ekuadoru	*Ecuador*
エジプト	Ejiputo	*Egipto*
オーストラリア	Oosutoraria	*Australia*
オーストリア	Oosutoria	*Austria*
オランダ	Oranda	*Holanda*
カナダ	Kanada	*Canadá*
韓国	Kankoku	*Corea del Sur*
キューバ	Kyuuba	*Cuba*
ギリシア	Girisha	*Grecia*
ケニア	Kenia	*Kenia*

コスタリカ	Kosutarika	*Costa Rica*
コロンビア	Koronbia	*Colombia*
コンゴ	Kongo	*El Congo*
スイス	Suisu	*Suiza*
スペイン	Supein	*España*
スウェーデン	Suweeden	*Suecia*
タイ	Tai	*Tailandia*
チリ	Chiri	*Chile*
中国	Chuugoku	*China*
ドイツ	Doitsu	*Alemania*
ドミニカ共和国	Dominika kyoowakoku	*República Dominicana*
トルコ	Toruko	*Turquía*
デンマーク	Denmaaku	*Dinamarca*
ナイジェリア	Naijeria	*Nigeria*
ニカラグア	Nikaragua	*Nicaragua*
日本	Nihon / Nippon	*Japón*
ノルウェー	Noruwee	*Noruega*
パキスタン	Pakisutan	*Paquistán*
パラグアイ	Paraguai	*Paraguay*
ハンガリー	Hangarii	*Hungría*
フィリピン	Firipin	*Filipinas*
フィンランド	Finrando	*Finlandia*
ブラジル	Burajiru	*Brasil*
フランス	Furansu	*Francia*
ベネズエラ	Benezuera	*Venezuela*
ペルー	Peruu	*Perú*
ベルギー	Berugii	*Bélgica*
ポーランド	Poorando	*Polonia*
ボリビア	Boribia	*Bolivia*
ポルトガル	Porutogaru	*Portugal*
メキシコ	Mekishiko	*México*
ルーマニア	Ruumania	*Rumanía*
ロシア	Roshia	*Rusia*

(1) Hay, sin embargo, algunas excepciones. En el caso de la Gran Bretaña (IGIRISU), la lengua inglesa se llama eigo, siendo, asimismo, la lengua oficial de E.E.U.U. En consecuencia, la lengua oficial de México (MEKISHIKO), será supeingo (español).

会話に出る動詞	Kaiwa ni deru dooshi	*Verbos (conjugados) que salen en la conversación*
仕事はしていません	shigoto wa shite imasen	*no trabajo, no trabajas, etc.*
ちがいます	chigaimasu	*no es así / No es correcto.*
です	desu	*soy, eres, es, somos sois, son.*
ではありません	dewa arimasen	*no soy, no eres, no es, etc.*
わかりません	wakarimasen	*no sé / no comprendo, etc.*

2

第2課	Dai-ni-ka	Lección 2
パート1	Paato 1	Parte 1
これはいくらですか。	Kore wa ikura desu ka.	¿Cuánto vale éste?

| 会話1 | Kaiwa 1 | Conversación 1 |

（学生会館で） Gakusei-kaikan de

リー：	この日本語の辞書はだれのですか。
Rii	Kono nihongo no jisho wa dare no desu ka.
マリア：	それは私のです。
Maria	Sore wa watashi no desu.
リー：	ああ、マリアさんのですか。
Rii	Aa, Maria-san no desu ka.
マリア：	はい。
Maria	Hai.
リー：	いくらですか。
Rii	Ikura desu ka.
マリア：	５，５００円です。昨日買いました。
Maria	Go-sen go-hyaku en desu. Kinoo kaimashita.
リー：	そうですか。私も辞書がいります。
Rii	Soo desu ka. Watashi mo jisho ga irimasu.

（本屋で） Hon-ya de

リー：	日本語の辞書がありますか。
Rii	Nihongo no jisho ga arimasu ka.
店員：	はい、ここにあります。
Ten'in	Hai, koko ni arimasu.
リー：	ああ、いろいろありますね。これはいくらですか。
Rii	Aa, iroiro arimasu ne. Kore wa ikura desu ka.
店員：	それは４,000円です。
Ten'in	Sore wa yon-sen en desu.
リー：	じゃあ、これをください。
Rii	Jaa, kore o kudasai.

| 文型1 | Bunkei 1 | Modelo 1 |

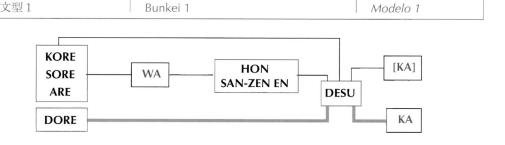

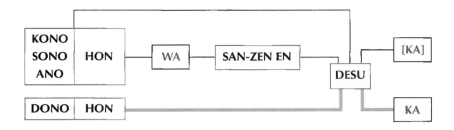

① A：これは本ですか。

    Kore wa hon desu ka.

  B：はい、それは本です。／はい、そうです。

    Hai, sore wa hon desu./Hai, soo desu.

② A：あれは教科書ですか。

    Are wa kyookasho desu ka.

  B：いいえ、あれは教科書ではありません。／いいえ、ちがいます。

    Iie, are wa kyookasho dewa arimasen./Iie, chigaimasu.

③ A：あれはいくらですか。

    Are wa ikura desu ka.

  B：どれですか。

    Dore desu ka.

  A：あのブラウスです。

    Ano burausu desu.

  B：あれは 13,000 円です。

    Are wa ichi-man san-zen en desu.

④ A：あの傘はいくらですか。

    Ano kasa wa ikura desu ka.

  B：どの傘ですか。

    Dono kasa desu ka.

  A：あれです。

    Are desu.

  B：あの傘は 8,000 円です。

    Ano kasa wa has-sen en desu.

  A：これも 8,000 円ですか。

    Kore mo has-sen en desu ka.

  B：はい、それも 8,000 円です。／はい、そうです。

    Hai, sore mo has-sen en desu./ Hai, soo desu.

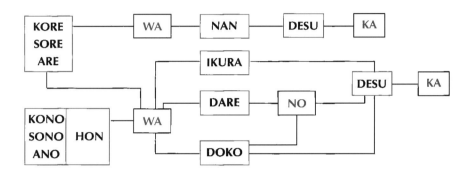

① A：それは何ですか。

Sore wa nan desu ka.

B：これはたばこです。

Kore wa tabako desu.

A：そのたばこはどこのですか。

Sono tabako wa doko no desu ka.

B：これは日本のです。

Kore wa Nihon no desu.

A：そのたばこは尾崎さんのですか。

Sono tabako wa Ozaki-san no desu ka.

B：いいえ、私のではありません。上田さんのです。

Iie, watashi no dewa arimasen. Ueda-san no desu.

② A：あなたの車はどれですか。

Anata no kuruma wa dore desu ka.

B：あれです。

Are desu.

A：あれはドイツのですか。

Are wa Doitsu no desu ka.

B：はい、あれはドイツのです。／はい、そうです。

Hai, are wa Doitsu no desu./ Hai, soo desu.

練習1 例のように言いなさい。	Renshuu 1 Rei no yoo ni iinasai.	*Práctica 1* *Practica siguiendo los ejemplos*

{
A：これは何ですか。
　　Kore wa nan desu ka.
B：それは教科書です。
　　Sore wa kyookasho desu.

{
A：コーヒーとケーキはいくらですか。
　　Koohii to keeki wa ikura desu ka.
B：コーヒーとケーキは 860 円です。
　　Koohii to keeki wa hap-pyaku roku-juu en desu.
A：じゃ、コーヒーとケーキをください。
　　Ja, koohii to keeki o kudasai.

{
A：コーヒーはいくらですか。
　　Koohii wa ikura desu ka.
B：コーヒーは 400 円です。
　　Koohii wa yon-hyaku en desu.

{
この教科書をください。
Kono kyookasho o kudasai.

￥18,000	￥13,800	￥400	￥130	￥5,600	￥700
￥460	￥130	￥23,000	￥2,200	￥14,000	￥5,300
￥7,000	￥150	￥6,850	￥250	￥1,170	￥100
￥26,000	￥88,000	￥2,000	￥16,000	￥8,000	￥7,700
￥5,500	￥1,100	￥200	￥3,500	￥22,000	￥1,500
￥130,000	￥12,000	￥8,800	￥400	￥7,600	￥150

練習2	Renshuu 2	*Práctica 2*
例のように言いなさい。	Rei no yoo ni iinasai.	*Practica siguiendo los ejemplos*

A：この車はだれのですか。
Kono kuruma wa dare no desu ka.
B：それは尾崎さんのです。
Sore wa Ozaki-san no desu.
A：この傘も尾崎さんのですか。
Kono kasa mo Ozaki-san no desu ka.
B：はい、それも尾崎さんのです。
Hai, sore mo Ozaki-san no desu.

A：これはどこの車ですか。
Kore wa doko no kuruma desu ka.
B：それは日本のです。
Sore wa Nihon no desu.

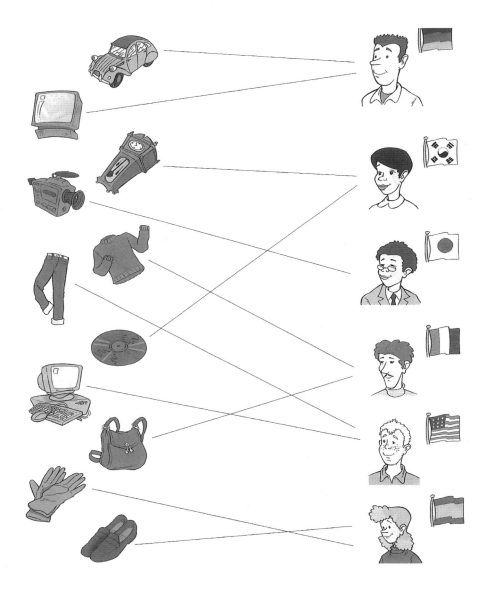

① 一 *ichi*
② 二 *ni*
③ 三 *san*
④ 四 *shi / yon*
⑤ 五 *go*
⑥ 六 *roku*
⑦ 七 *shichi / nana*
⑧ 八 *hachi*
⑨ 九 *ku / kyuu*
⑩ 十 *juu*
⑪ 十一 *juu ichi*
⑫ 十二 *juu ni*

2 0	二十	*ni-juu*	2 1	二十一	*ni-juu ichi*
3 0	三十	*san-juu*	3 2	三十二	*san-juu ni*
4 0	四十	*yon-juu*	4 3	四十三	*yon-juu san*
5 0	五十	*go-juu*	5 4	五十四	*go-juu shi / yon*
6 0	六十	*roku-juu*	6 5	六十五	*roku-juu go*
7 0	七十	*nana-juu*	7 6	七十六	*nana-juu roku*
8 0	八十	*hachi-juu*	8 7	八十七	*hachi-juu shichi / nana*
9 0	九十	*kyuu-juu*	9 8	九十八	*kyuu-juu hachi*

1 0 0	百	*hyaku*	2 0 0	二百	*ni-hyaku*
3 0 0	三百	*san-byaku*	4 0 0	四百	*yon-hyaku*
5 0 0	五百	*go-hyaku*	6 0 0	六百	*rop-pyaku*
7 0 0	七百	*nana-hyaku*	8 0 0	八百	*hap-pyaku*
9 0 0	九百	*kyuu-hyaku*			

1 , 0 0 0	千／一千	*sen / is-sen*	2 , 0 0 0	二千	*ni-sen*
3 , 0 0 0	三千	*san-zen*	4 , 0 0 0	四千	*yon-sen*
5 , 0 0 0	五千	*go-sen*	6 , 0 0 0	六千	*roku-sen*
7 , 0 0 0	七千	*nana-sen*	8 , 0 0 0	八千	*has-sen*
9 , 0 0 0	九千	*kyuu-sen*			

1 0 , 0 0 0	一万	*ichi-man*
1 0 0 , 0 0 0	十万	*juu-man*
1 , 0 0 0 , 0 0 0	百万	*hyaku-man*
1 0 , 0 0 0 , 0 0 0	一千万	*is-sen-man*
1 0 0 , 0 0 0 , 0 0 0	一億	*ichi-oku*
1 , 0 0 0 , 0 0 0 , 0 0 0	十億	*juu-oku*

8,350	八千三百五十	*has-sen san-byaku go-juu*
38,216	三万八千二百十六	*san-man has-sen ni-hyaku juu roku*
120,470	十二万四百七十	*juu ni-man yon-hyaku nana-juu*
3,469,925	三百四十六万九千九百二十五	*san-byaku yon-juu roku-man kyuu-sen kyuu-hyaku ni-juu go*

| 会話2 | Kaiwa 2 | *Conversación 2* |

リー： 　ジョルジオさん、映画に行きませんか。

Rii 　　Jorujio san, eiga ni ikimasen ka.

ジョルジオ： いつですか。

Jorujio 　Itsu desu ka.

リー： 　今週の金曜日はどうですか。

Rii 　　Konshuu no kin-yoo-bi wa doo desu ka.

ジョルジオ： ええと…、ちょっと待ってください。今週の金曜日は10月

Jorujio 　Eeto..., chotto matte kudasai. Konshuu no kin-yoo-bi wa juu-gatsu

15日ですね。

juu go-nichi desu ne.

リー： 　はい。

Rii 　　Hai.

ジョルジオ：15日の金曜日はちょっと・・・。

Jorujio 　Juu go-nichi no kin-yoo-bi wa chotto ...

リー： 　それじゃ、いつがいいですか。

Rii 　　Sore ja, itsu ga ii desu ka.

ジョルジオ：今週の土曜日はどうですか。

Jorujio 　Konshuu no do-yoo-bi wa doo desu ka.

リー： 　いいですよ。でも、土曜日は10月16日ですね。

Rii 　　Ii desu yo. Demo, do-yoo-bi wa juu-gatsu juu roku-nichi desu ne.

午後6時から学生会館でキムさんの誕生日のパーティーが

Gogo roku-ji kara gakusei-kaikan de Kimu-san no tanjoobi no paatii ga

ありますよ。

arimasu yo.

ジョルジオ：それじゃあ、何時に映画に行きましょうか。

Jorujio 　Sorejaa, nan-ji ni eiga ni ikimashoo ka.

リー： 　そうですね。午後2時半はどうですか。映画は4時半ごろ

Rii 　　Soo desu ne. Gogo ni-ji han wa doo desu ka. Eiga wa yo-ji han goro

おわります。

owarimasu.

| 文型1 | Bunkei 1 | *Modelo 1* |

① A：お父さんはおいくつですか。／何歳ですか。
　　　Otoosan wa o-ikutsu desu ka./ Nan-sai desu ka.
　　B：父は68歳です。／68です。
　　　Chichi wa roku-juu has-sai desu./ Roku-juu hachi desu.

② A：今日は何曜日ですか。
　　　Kyoo wa nan-yoo-bi desu ka.
　　B：今日は水曜日です。
　　　Kyoo wa sui-yoo-bi desu.

③ A：吉田さんの誕生日はいつですか。
　　　Yoshida-san no tanjoobi wa itsu desu ka.
　　B：5月16日です。
　　　Go-gatsu juu roku-nichi desu.

④ A：バルセロナのデパートは何時から何時までですか。
　　　Baruserona no depaato wa nan-ji kara nan-ji made desu ka.
　　B：午前9時半から午後8時までです。
　　　Gozen ku-ji-han kara gogo hachi-ji made desu.

⑤ A：上田さんの生年月日は何年何月何日ですか。
　　　Ueda-san no seinengappi wa nan-nen nan-gatsu nan-nichi desu ka.
　　B：1973年9月27日です。
　　　Sen kyuu-hyaku nana-juu san-nen ku-gatsu ni-juu shichi-nichi desu.

時間	Jikan	Las ho

A：今何時ですか。
　　Ima nan-ji desu ka.
B：8時5分です。
　　Hachi-ji go-fun desu.

午前9時です。
Gozen ku-ji desu. ── 9:00

午後9時です。
Gogo ku-ji desu. ── 21:00

1：00	一時	*ichi-ji*		2：00	二時	*ni-ji*
3：00	三時	*san-ji*		4：00	四時	*yo-ji*
5：00	五時	*go-ji*		6：00	六時	*roku-ji*
7：00	七時	*shichi-ji*		8：00	八時	*hachi-ji*
9：00	九時	*ku-ji*		10：00	十時	*juu-ji*
11：00	十一時	*juu ichi-ji*		12：00	十二時	*juu ni-ji*

1：05　一時五分　　*ichi-ji go-fun*
1：10　一時十分　　*ichi-ji jip-pun / jup-pun*
1：15　一時十五分　*ichi-ji juu go-fun*

1：20	一時二十分	*ichi-ji ni-jip-pun / ni-jup-pun*
1：25	一時二十五分	*ichi-ji ni-juu go-fun*
1：30	一時三十分	*ichi-ji san-jippun / san-jup-pun /*
	一時半	*ichi-ji han*
1：35	一時三十五分	*ichi-ji san-juu go-fun*
1：40	一時四十分	*ichi-ji yon-jip-pun / yon-jup-pun*
1：45	一時四十五分	*ichi-ji yon-juu go-fun /*
	二時十五分前	*ni-ji juu go-fun mae*
1：50	一時五十分	*ichi-ji go-jip-pun / go-jup-pun /*
	二時十分前	*ni-ji jip-pun / jup-pun mae*
1：55	一時五十五分	*ichi-ji go-juu go-fun /*
	二時五分前	*ni-ji go-fun mae*
2：00	二時	*ni-ji*

練習 1 時間を聞きなさい	Renshuu 1 Jikan o kikinasai.	*Práctica 1 Pregunta la hora*

A：すみません。今何時ですか。
Sumimasen. Ima nan-ji desu ka.
B：6 時半です。
Roku-ji-han desu.
A：どうもありがとうございました。
Doomo arigatoo gozaimashita.
B：いいえ、どういたしまして。
Iie, dooitashimashite.

12:15	23:05	4:00	13:35	19:30	5:55	2:45	8:50
18:25	16:05	17:55	23:55	20:20	15:15	6:35	4:55

年	Toshi	La edad

おいくつですか。／何歳ですか。
Oikutsu desu ka./ Nan-sai desu ka.

1歳： *is-sai*	2歳： *ni-sai*	3歳： *san-sai*
4歳： *yon-sai*	5歳： *go-sai*	6歳： *roku-sai*
7歳： *nana-sai*	8歳： *has-sai*	9歳： *kyuu-sai*
10歳： *jus-sai*	11歳： *juu is-sai*	20歳： *hatachi*

練習 2 クラスメートの年 を聞きなさい。	Renshuu 2 Kurasumeeto no toshi o kikinasai.	*Práctica 2* *Pregunta la edad a* *tus compañeros*

A ：（マリアさんは）おいくつですか。
(Maria-san wa) oikutsu desu ka.

B ：（私は）二十歳です。
(Watashi wa) hatachi desu.

① _____さんは_____です。
　　　　san wa　　　　　　　　　　　　　　　　　　　　　　　　　　　desu.

② _____さんは_____です。
　　　　san wa　　　　　　　　　　　　　　　　　　　　　　　　　　　desu.

③ _____さんは_____です。
　　　　san wa　　　　　　　　　　　　　　　　　　　　　　　　　　　desu.

④ _____さんは_____です。
　　　　san wa　　　　　　　　　　　　　　　　　　　　　　　　　　　desu.

カレンダー	Karendaa	*El calendario*

今日は 1999 年 10 月 1 3 日の月曜日です。
Kyoo wa sen kyuu-hyaku kyuu-juu kyuu-nen juu-gatsu
juu san-nichi no getsu-yoo-bi desu.

	年 TOSHI	月 TSUKI	日 HI	
KYOO　WA	1999 年	10 月	13 日	DESU

月	Tsuki	*Los meses*

何月ですか。
Nan-gatsu desu ka.

1 月	ichi-gatsu:	enero	2 月	ni-gatsu:	febrero
3 月	san-gatsu:	marzo	4 月	shi-gatsu:	abril
5 月	go-gatsu:	mayo	6 月	roku-gatsu:	junio
7 月	shichi-gatsu:	julio	8 月	hachi-gatsu:	agosto
9 月	ku-gatsu:	septiembre	10 月	juu-gatsu:	octubre
11 月	juu ichi-gatsu:	noviembre	12 月	juu ni-gatsu:	diciembre

日	Hi	Los días de mes

$$
\begin{bmatrix} 何日ですか。 \\ \text{Nan-nichi desu ka} \end{bmatrix}
$$

1日 *tsuitachi*	día 1	2日 *futsuka*	día 2
3日 *mikka*	día 3	4日 *yokka*	día 4
5日 *itsuka*	día 5	6日 *muika*	día 6
7日 *nanoka*	día 7	8日 *yooka*	día 8
9日 *kokonoka*	día 9	10日 *tooka*	día 10
11日 *juu ichi-nichi*	día 11	12日 *juu ni-nichi*	día 12
13日 *juu san-nichi*	día 13	14日 *juu yokka*	día 14
15日 *juu go-nichi*	día 15	16日 *juu roku-nichi*	día 16
17日 *juu shichi-nichi*	día 17	18日 *juu hachi-nichi*	día 18
19日 *juu ku-nichi*	día 19	20日 *hatsuka*	día 20
21日 *ni-juu ichi-nichi*	día 21	22日 *ni-juu ni nichi*	día 22
23日 *ni-juu san-nichi*	día 23	24日 *ni-juu yokka*	día 24
25日 *ni-juu go-nichi*	día 25	26日 *ni-juu roku-nichi*	día 26
27日 *ni-juu shichi-nichi*	día 27	28日 *ni-juu hachi-nichi*	día 28
29日 *ni-juu ku-nichi*	día 29	30日 *san-juu-nichi*	día 30
31日 *san-juu ichi-nichi*	día 31		

曜日	Yoo-bi	Los días de la semana

$$
\begin{bmatrix} 何曜日ですか。 \\ \text{Nan-yoo-bi desu ka} \end{bmatrix}
$$

日曜日 *nichi-yoo-bi:*	domingo	月曜日 *getsu-yoo-bi:*	lunes
火曜日 *ka-yoo-bi:*	martes	水曜日 *sui-yoo-bi:*	miércoles
木曜日 *moku-yoo-bi:*	jueves	金曜日 *kin-yoo-bi:*	viernes
土曜日 *do-yoo-bi:*	sábado		

① A：テストはいつですか。
　　Tesuto wa itsu desu ka.
　B：テストは月曜日です。
　　Tesuto wa getsu-yoo-bi desu.

② A：夏休みはいつからいつまでですか。
　　Natsu-yasumi wa itsu kara itsu made desu ka.
　B：7月31日から8月15日までです。
　　Shichi-gatsu san-juu ichi-nichi kara hachi-gatsu juu go-nichi made desu.

③　今日は７月１３日の月曜日です。
Kyoo wa shichi-gatsu juu san-nichi no getsu-yoo-bi desu.

④　明日は７月１４日の火曜日です。
Ashita wa shichi-gatsu juu yokka no ka-yoo-bi desu.

練習3 絵を見て練習しなさい。	Renshuu 3 E o mite, renshuu shinasai.	*Práctica 3* *Practica mirando el dibujo*

{ A：７月18日は何曜日ですか。
　　Shichi-gatsu juu hachi-nichi wa nan-yoo-bi desu ka.
　B：金曜日です。
　　Kin-yoo-bi desu.

７月

日曜日	月曜日	火曜日	水曜日	木曜日	金曜日	土曜日
		1	2	3	4	5
	7	8	9	10	11	12
	14	15	16	17	18	19
	21	22	23	24	25	26
	28	29	30	31		

練習4 クラスメートの誕生日 を聞きなさい。	Renshuu 4 Kurasumeeto no tanjoobi o kikinasai.	*Práctica 4* *Pregunta a tus compañeros* *cuando celebran su cumpleaños*

{ A：マリアさんの誕生日はいつですか。
　　Maria-san no tanjoobi wa itsu desu ka.
　B：６月17日です。
　　Roku-gatsu juu shichi-nichi desu.

＿＿＿＿さん san	＿＿月＿＿日 gatsu　nichi	＿＿＿＿さん san	＿＿月＿＿日 gatsu　nichi

練習5 この外国語学校の時間割を見て練習しなさい。	Renshuu 5 Kono gaikokugo-gakkoo no jikan-wari o mite, renshuu shinasai	*Práctica 5* *Practica mirando los horarios de esta escuela de idiomas*

A：英語は何曜日ですか。
Eigo wa nan-yoo-bi desu ka.

B：月曜日と水曜日と金曜日です。
Getsu-yoo-bi to sui-yoo-bi to kin-yoo-bi desu.

A：月曜日は何時から何時までですか。
Getsu-yoo-bi wa nan-ji kara nan-ji made desu ka.

B：月曜日は午前9時から10時までと、午後3時から4時までです。
Getsu-yoo-bi wa gozen ku-ji kara juu-ji made to, gogo san-ji kara yo-ji made desu.

A：水曜日と金曜日は。
Sui-yoo-bi to kin-yoo-bi wa?

B：水曜日も午前9時から10時までと、午後3時から4時までです。でも、
Sui-yoo-bi mo gozen ku-ji kara juu-ji made to, gogo san-ji kara yo-ji made desu. Demo
金曜日は午前10時から11時までと、午後8時から9時までです。
kin-yoo-bi wa gozen juu-ji kara juu ichi-ji made to, gogo hachi-ji kara ku-ji made desu.

	月曜日	火曜日	水曜日	木曜日	金曜日
日本語 nihongo	10:00~11:00 18:00~19:00		11:00~12:00 16:00~17:00		9:00~10:00 15:00~16:00
英語 eigo	9:00~10:00 15:00~16:00		9:00~10:00 15:00~16:00		10:00~11:00 20:00~21:00
スペイン語 supeingo		10:00~11:30 9:30~11:00		15:30~17:00 17:00~18:30	
ドイツ語 doitsugo		12:00~13:30 17:30~19:00		8:30~10:00 19:30~21:00	
フランス語 furansugo	9:30~10:30 15:30~16:30		10:00~11:00 17:00~18:00		10:30~11:30 20:00~21:00

Propia familia		Familia ajena
祖父 sofu	abuelo	おじいさん ojiisan
祖母 sobo	abuela	おばあさん obaasan
両親 ryooshin	padres	ご両親 go-ryooshin
父 chichi	padre	お父さん otoosan
母 haha	madre	お母さん okaasan
兄弟 kyoodai	hermanos	ご兄弟 go-kyoodai
兄 ani	hermano mayor	お兄さん oniisan
姉 ane	hermana mayor	お姉さん oneesan
弟 otooto	hermano menor	弟さん otootosan
妹 imooto	hermana menor	妹さん imootosan
主人 shujin	marido	ご主人 go-shujin
妻／家内 tsuma / kanai	esposa	奥さん okusan
子供 kodomo	hijo/s	お子さん okosan
息子 musuko	hijo varón	息子さん musukosan
娘 musume	hija	娘さん／お嬢さん musumesan / ojoosan

Primera persona	Segunda persona	Tercera persona	Interrogativo
これ　(éste/a/os/as) kore これら (éstos/as) korera	それ (ése/a/os/as) sore それら (ésos/as) sorera	あれ (aquél/a/os/as) are あれら (aquéllos/as) arera	どれ (cuál) dore
この (este/a/os/as +N) kono これらの (estos/as+N) korera no	その (ese/a/os/as +N) sono それらの (esos/as+N) sorera no	あの (aquel/a/os/as+N) ano あれらの (aquellos/as+N) arera no	どの (qué +N) dono+N
ここ (aquí) koko	そこ (ahí) soko	あそこ (allí) asoko	どこ (dónde) doko

Pasado	Presente	Futuro
去年 (el año pasado) kyonen	今年 (este año) kotoshi	来年 (el año que viene) rainen
先週 (la semana pasada) senshuu	今週 (esta semana) konshuu	来週 (la semana que viene) raishuu
昨日 (ayer) kinoo	今日 (hoy) kyoo	明日 (mañana) ashita / asu

語彙	Goi	Vocabulario

いくら	ikura	(pronombre interrog.) ¿Cuánto?
いつ	itsu	(adverbio interrog.) ¿Cuándo?
から	kara	(preposición) Desde
だれ	dare	(pronombre interrog.) ¿Quién?
だれの	dare no	(interrog.) ¿De quién?
どこ	doko	(adverbio interrog.) ¿Dónde?
どこの	doko no	(interrog.) ¿De dónde?
なん／なに	nan / nani	(pronombre interrog.) ¿Qué?
なんがつ	nan-gatsu	(interrog.) ¿Qué mes?
なんさい	nan-sai	(interrog.) ¿Cuántos años de edad?
なんじ	nan-ji	(interrog.) ¿Qué hora?
なんにち	nan-nichi	(interrog.) ¿Qué día del mes?
なんねん	nan-nen	(interrog.) ¿Qué año?
なんようび	nan-yoo-bi	(interrog.) ¿Qué día de la semana?

まで	made	(preposición) Hasta
アニメ（ーション）	anime [eshon]	dibujos animados
いえ	ie	casa
いす	isu	silla
犬	inu	perro
いろいろ	iroiro	varios/as
いま	ima	ahora
映画	eiga	película
英語	eigo	lengua inglesa
鉛筆	enpitsu	lápiz
お金	o-kane	dinero
お茶	o-cha	té japonés
オレンジ	orenji	naranja
傘	kasa	paraguas
数	kazu	número
カセットテープ	kasetto-teepu	cinta de cassete
かばん	kaban	bolsa, maleta
かびん	kabin	jarrón
カレンダー	karendaa	calendario
漢字辞典	kanji-jiten	diccionario de ideogramas
缶ビール	kan-biiru	lata de cerveza
喫茶店	kissaten	cafetería
切手	kitte	sello
切符	kippu	billete, entrada
教科書	kyookasho	libro de texto
靴	kutsu	zapatos
クラスメート	kurasumeeto	condiscípulo
車	kuruma	coche
クレジットカード	kurejitto-kaado	tarjeta de crédito
ケーキ	keeki	pastel
消しゴム	keshigomu	goma de borrar
香水	koosui	perfume
紅茶	koocha	té inglés
コート	kooto	abrigo, gabardina
コーヒー	koohii	café
コーラ	koora	refresco de cola
午前３時	gozen san-ji	las tres de la mañana
午後３時	gogo san-ji	las tres de la tarde
財布	saifu	monedero, cartera
酒	sake	sake, bebida alcohólica

さしみ	sashimi	sashimi (cocina japonesa)
雑誌	zasshi	revista
サラダ	sarada	ensalada
ＣＤ	shii-dii	disco compacto
ジーンズ	jiinzu	pantalones tejanos
時間	jikan	hora, tiempo
辞書	jisho	diccionario
じゃ（あ）	ja[a]	(adverbio, en jap. conj.) Entonces
ジュース	juusu	zumo
小説	shoosetsu	novela
新聞	shinbun	periódico
スーツ	suutsu	traje
スカート	sukaato	falda
スカーフ	sukaafu	pañuelo (complementos)
すきやき	sukiyaki	sukiyaki (cocina japonesa)
すし	sushi	sushi (cocina japonesa)
スニーカー	suniikaa	zapatillas de deporte
スペイン語	supeingo	lengua española
ズボン	zubon	pantalones
スリッパ	surippa	zapatillas
生年月日	seinengappi	fecha de nacimiento
セーター	seetaa	jersey
ソックス	sokkusu	calcetines
それじゃ（あ）	soreja[a]	(adverbio, en jap. conj.) Entonces
たばこ	tabako	tabaco, cigarrillo
誕生日	tanjoobi	cumpleaños
ちょっと	chotto	(adv.) Un poco
机	tsukue	mesa
Ｔシャツ	tii-shatsu	camiseta
テスト	tesuto	examen, prueba
デパート	depaato	grandes almacenes
でも	demo	(conj.) Pero
電気	denki	electricidad, luz eléctrica
電車	densha	tren
天ぷら	tenpura	tenpura (cocina japonesa)
ドア	doa	puerta
ドイツ語	doitsugo	lengua alemana
時計	tokei	reloj
年	toshi	año/s, edad
猫	neko	gato

ノート	nooto	cuaderno
パーティー	paatii	fiesta
箱	hako	caja
はさみ	hasami	tijeras
バッグ	baggu	bolso
パソコン	pasokon	ordenador personal
花	hana	flor
ハンバーガー	hanbaagaa	hamburguesa
ビデオカメラ	bideo-kamera	cámara de video
ビデオゲーム	bideo-geemu	vídeo juego
ビデオテープ	bideo-teepu	cinta de vídeo
ブラウス	burausu	blusa
フランス語	furansugo	lengua francesa
ベッド	beddo	cama
帽子	booshi	sombrero
ボールペン	boorupen	bolígrafo
本	hon	libro
窓	mado	ventana
漫画	manga	cómic
めがね	megane	gafas
リュックサック	ryukkusakku	mochila
りんご	ringo	manzana
ワープロ	waapuro	procesador de textos
ワイン	wain	vino

会話に出る動詞	Kaiwa ni deru dooshi	Verbos (conjugados) que salen en la conversación

あります	arimasu	hay / Está.../ Tengo, tienes, etc.
行きませんか	ikimasen ka	(invitación) ¿Vamos a...?
いります	irimasu	necesito, necesitas, etc.
おわります	owarimasu	termino, terminas, termina, etc.
買いました	kaimashita	he comprado/ compré, etc.
どうですか	doo desu ka	¿Qué te/le/os/les parece...?
待ってください	matte kudasai	(imperativo) Espere, esperen

第３課 パート１ 色はきれいですが、 少し長いですね。	Dai-san-ka Paato 1 Iro wa kirei desu ga, sukoshi nagai desu ne.	*Lección 3* *Parte 1* *El color es bonito,* *pero es un poco larga.*

会話１	Kaiwa 1	*Conversación 1*

店員： このスカートはいかがですか。

Ten'in Kono sukaato wa ikaga desu ka.

上田： そうですね。色はきれいですが、少し長いですね。もう少し短いのは
ありませんか。

Ueda Soo desu ne. Iro wa kirei desu ga, sukoshi nagai desu ne. Moo sukoshi
mijikai no wa arimasen ka.

店員： ええと、少々お待ちください・・・。これはいかがですか。これは色も
きれいで、デザインもいいですよ。

Ten'in Eeto, shooshoo o-machi-kudasai...Kore wa ikaga desu ka. Kore wa
iro mo kirei de, dezain mo ii desu yo.

上田： これはいくらですか。

Ueda Kore wa ikura desu ka.

店員： 13,000円です。

Ten'in Ichi-man san-zen en desu.

上田： ちょっと高いですね。もう少し安いのはありませんか。

Ueda Chotto takai desu ne. Moo sukoshi yasui no wa arimasen ka.

店員： そうですね。じゃ、これはいかがですか。

Ten'in Soo desu ne. Ja, kore wa ikaga desu ka.

上田： そうねえ。ちょっと試してもいいですか。

Ueda Soo nee. Chotto tameshitemo ii desu ka.

店員： はい、どうぞ。

Ten'in Hai, doozo

文型１	Bunkei 1	*Modelo 1*

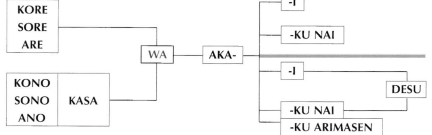

① A：このセーターは安いですか。
　　Kono seetaa wa yasui desu ka.
　B：はい、そのセーターは安いです。
　　Hai, sono seetaa wa yasui desu.

② A：あの山は低いですか。
　　Ano yama wa hikui desu ka.
　B：いいえ、あれは低くないです。／低くありません。
　　Iie, are wa hikukunai desu./ Hikukuarimasen.

③ A：ジョルジオさんの車は新しいですか。
　　Jorujio-san no kuruma wa atarashii desu ka.
　B：いいえ、古いです。
　　Iie, furui desu.

文型 2	Bunkei 2	Modelo 2

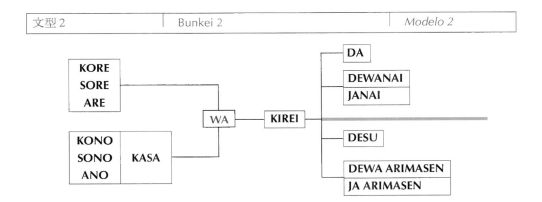

① A：キムさんの部屋は静かですか。
　　Kimu-san no heya wa shizuka desu ka.
　B：はい、私の部屋は静かです。
　　Hai, watashi no heya wa shizuka desu.

② A：あの部屋はきれいですか。
　　Ano heya wa kirei desu ka.
　B：いいえ、あれはきれいではありません。きたないです。
　　Iie, are wa kirei dewa arimasen. Kitanai desu.

③ A：あれは新しいセーターですか。
　　Are wa atarashii seetaa desu ka.
　B：いいえ、あれは新しいセーターではありません。
　　Iie, are wa atarashii seetaa dewa arimasen.

④ あれは新しくないです。／新しくありません。
　Are wa atarashikunai desu./ atarashikuarimasen.

練習1 例のように言いなさい。	Renshuu 1 Rei no yoo ni iinasai.	*Práctica 1* *Practica siguiendo los ejemplos*

A：この鉛筆は長いですか。
　　Kono enpitsu wa nagai desu ka.
B：いいえ、長くないです。短いです。
　　Iie, nagakunai desu. Mijikai desu.

A：あの部屋は静かですか。
　　Ano heya wa shizuka desu ka.
B：いいえ、静かではありません。
　　Iie, shizuka dewa arimasen.
　　うるさいです。
　　Urusai desu.

¥ 200.000　　¥ 5.000

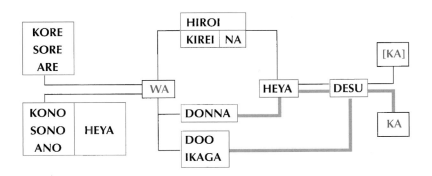

① A：あれはどんな山ですか。

　　Are wa donna yama desu ka.

　B：あれは高い山です。

　　Are wa takai yama desu.

② A：尾崎さんはどんな人ですか。

　　Ozaki-san wa donna hito desu ka.

　B：尾崎さんは親切な人です。

　　Ozaki-san wa shinsetsu-na hito desu.

③ A：この問題はどうですか。

　　Kono mondai wa doo desu ka.

　B：それは難しいです。

　　Sore wa muzukashii desu.

④ A：どんな傘ですか。

　　Donna kasa desu ka.

　B：長い傘です。

　　Nagai kasa desu.

⑤ A：あの本はどんな本ですか。

　　Ano hon wa donna hon desu ka.

　B：あれは厚い本です。

　　Are wa atsui hon desu.

⑥ A：あの本はどうですか。

　　Ano hon wa doo desu ka.

　B：とてもおもしろいです。

　　Totemo omoshiroi desu.

あの部屋は広いです。でも、少し暗いです。
Ano heya wa hiroi desu. Demo, sukoshi kurai desu.
あの部屋は広いですが、ちょっと暗いです。
Ano heya wa hiroi desu ga, chotto kurai desu.

あの部屋は広いです。それに、明るいです。
Ano heya wa hiroi desu. Soreni, akarui desu.

あの部屋は新しいです。だから、きれいです。
Ano heya wa atarashii desu. Dakara, kirei desu.
あの部屋は新しいですから、きれいです。
Ano heya wa atarashii desu kara, kirei desu.

① このレストランは安いです。でも、あまりおいしくないです。
　　Kono resutoran wa yasui desu. Demo, amari oishikunai desu.

② エリザベスさんはかしこいです。それに、きれいです。
　　Erizabesu-san wa kashikoi desu. Soreni, kirei desu.

③ あのステーキはかたいです。だから、おいしくないです。
　　Ano suteeki wa katai desu. Dakara, oishikunai desu.

| 第3課
パート2
安くておいしい
レストランです。 | Dai-san-ka
Paato 2
Yasukute oishii
resutoran desu. | *Lección 3*
Parte 2
Un restaurante barato
y bueno. |

| 会話2 | Kaiwa 2 | *Conversación 2* |

キム： 学生会館の料理はあまりおいしくないですね。今日は外で食事を
Kimu Gakusei-kaikan no ryoori wa amari oishikunai desu ne. Kyoo wa soto de shokuji o
しましょうか。
shimashoo ka.

リー： そうですね。安くておいしいレストランがありますか。
Rii Soo desu ne. Yasukute oishii resutoran ga arimasu ka.

キム： はい、あまり安くないですが、料理はおいしいですよ。レストランは
Kimu Hai, amari yasukunai desu ga, ryoori wa oishii desu yo. Resutoran wa
あまり大きくないですが、中はきれいで、静かです。それに店の
amari ookikunai desu ga, naka wa kirei de, shizuka desu. Soreni mise no
雰囲気もいいですよ。ボーイもとても親切で、サービスもいいです。
fun´iki mo ii desu yo. Booi mo totemo shinsetsu de, saabisu mo ii desu.

リー： じゃ、そこに行きましょう。
Rii Ja, soko ni ikimashoo.

| 文型1 | Bunkei 1 | *Modelo 1* |

| TAIHEN / TOTEMO
SUKOSHI / CHOTTO | — | TAKA [DESU]
SHIZUKA DESU |

| AMARI
ZENZEN | — | TAKAKU NAI [DESU] / TAKAKU ARIMASEN
SHIZUKA DEWA ARIMASEN / JA ARIMASEN |

① この部屋はとても静かです。
　 Kono heya wa totemo shizuka desu.

② あのレストランはあまりおいしくないです。
　 Ano resutoran wa amari oishikunai desu.

③ あの部屋はちょっと暗いです。
　 Ano heya wa chotto kurai desu.

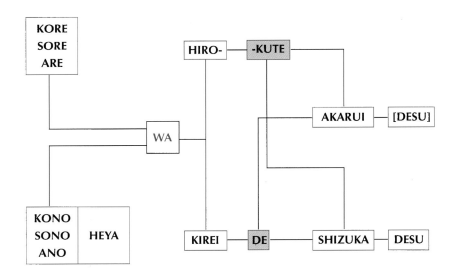

① 尾崎さんは親切で、優しいです。

Ozaki-san wa shinsetsu de, yasashii desu.

② あのレストランは安くておいしいです。

Ano resutoran wa yasukute oishii desu.

③ Ａ：松本さんの部屋はどんな部屋ですか。

Matsumoto-san no heya wa donna heya desu ka.

Ｂ：広くて明るい部屋です。

Hirokute akarui heya desu.

練習 1	Renshuu 1	_Práctica 1_
例のように言いなさい。	Rei no yoo ni iinasai.	_Practica siguiendo los ejemplos_

{
A：どんなスカートですか。
　Donna sukaato desu ka.
B：長いスカートです。
　Nagai sukaato desu.

{
A：どんなスカートですか。
　Donna sukaato desu ka.
B：黒くて長いスカートです。
　Kurokute nagai sukaato desu.

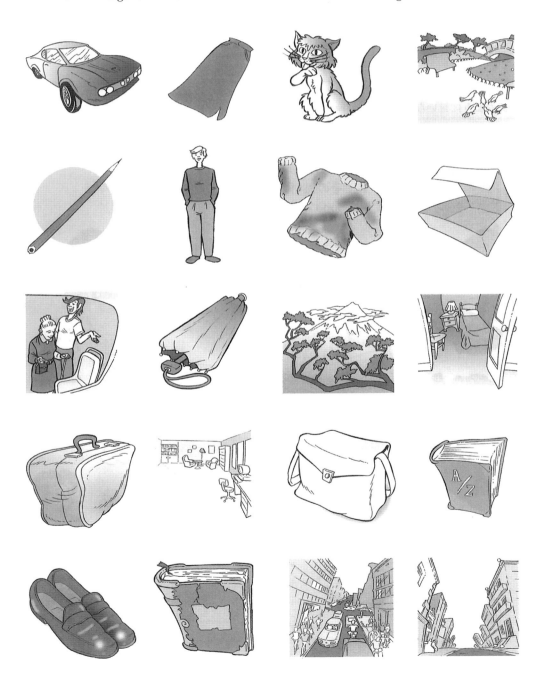

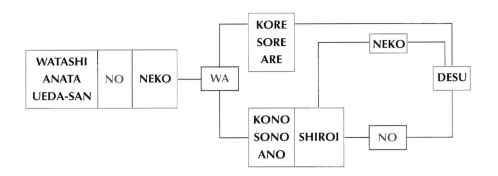

| 練習 2 | Renshuu 2 | *Práctica 2* |
| 例のように言いなさい。 | Rei no yoo ni iinasai. | *Practica siguiendo el ejemplo* |

A：尾崎さんの傘はどれですか。
Ozaki-san no kasa wa dore desu ka.
B：その黒いのです。
Sono kuroi no desu.

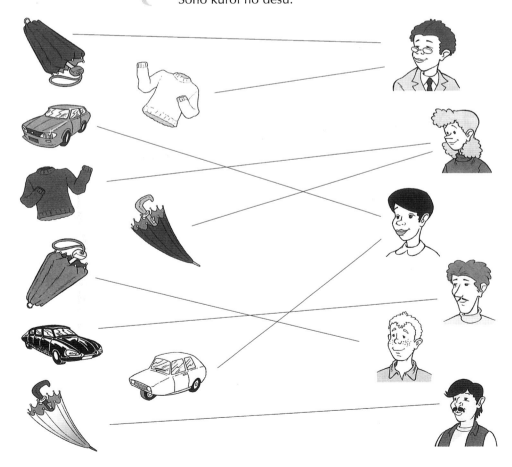

メモ	Memo	Apuntes

青い	aoi	*azul/es*
赤い	akai	*rojo/a/os/as*
オレンジ色の	orenji iro no	*de color naranja*
黄色い	kiiroi	*amarillo/a/os/as*
グレーの	guree no	*de color gris*
黒い	kuroi	*negro/a/os/as*
白い	shiroi	*blanco/a/os/as*
茶色い	chairoi	*marrón/es*
灰色の	haiiro no	*de color gris*
ピンク色の	pinku iro no	*de color rosa*
ブルーの	buruu no	*de color azul*
ベージュ色の	beeju iro no	*de color beige*
緑色の	midori iro no	*de color verde*

副詞	Fukushi	Adverbios
あまり	amari	*no muy (adj. o verbo negativo)*
少々	shooshoo	*un poco*
少し	sukoshi	*un poco*
ぜんぜん	zenzen	*no...en absoluto/nunca (adj./ verbo negativo)*
たいへん	taihen	*muy*
ちょっと	chotto	*un poco*
とても	totemo	*muy*
もう少し	moo sukoshi	*un poco más*

接続詞	Setsuzokushi	Conjunciones
～が	~ga	*pero*
～から	~kara	*por lo tanto*
そして	soshite	*y*
それから	sorekara	*y, luego**
それに	soreni	*y, además**
だから	dakara	*por lo tanto*
でも	demo	*pero*

色	Iro	Colores / sustantivos
青	ao	*el color azul*
赤	aka	*el color rojo*
オレンジ色	orenji iro	*el color naranja*

黄色	kiiro	*el color amarillo*
グレー	guree	*el color gris*
黒	kuro	*el color negro*
白	shiro	*el color blanco*
茶色	chairo	*el color marrón*
灰色	haiiro	*el color gris*
ピンク色	pinku iro	*el color rosa*
ブルー	buruu	*el color azul*
ベージュ色	beeju iro	*el color beige*
緑色	midori iro	*el color verde*

語彙	Goi	Vocabulario
色	iro	*color*
サービス	saabisu	*servicio*
外	soto	*fuera*
デザイン	dezain	*diseño*
中	naka	*dentro, interior*
雰囲気	fun´iki	*ambiente, atmósfera*
料理	ryoori	*comida, cocina*

い形容詞	-i keiyooshi	Adjetivos -I
明るい	akarui	*claro, luminoso*
あたたかい	atatakai	*templado, tibio*
新しい	atarashii	*nuevo*
熱い	atsui	*caliente*
暑い	atsui	*caluroso, cálido/ hacer o tener calor*
厚い	atsui	*grueso*
いい	ii	*bueno, bien*
忙しい	isogashii	*estar ocupado, atareado*
薄い	usui	*delgado, fino / (color) claro/ poco espeso*
うるさい	urusai	*ruidoso/ (persona) pesado*
おいしい	oishii	*sabroso, delicioso*
大きい	ookii	*grande*
重い	omoi	*pesado*
面白い	omoshiroi	*interesante, divertido, gracioso*
軽い	karui	*ligero*
汚い	kitanai	*sucio*

暗い	kurai	*oscuro, sombrío*
さむい	samui	*hacer o tener frío*
涼しい	suzushii	*fresco*
狭い	semai	*estrecho, pequeño*
高い	takai	*alto / caro*
小さい	chiisai	*pequeño*
つまらない	tsumaranai	*insignificante, trivial, aburrido, absurdo*
冷たい	tsumetai	*frío*
長い	nagai	*largo*
低い	hikui	*bajo*
広い	hiroi	*ancho, amplio, grande*
太い	futoi	*grueso, gordo*
古い	furui	*viejo, antiguo, anticuado*
細い	hosoi	*fino, delgado*
まずい	mazui	*no sabroso / torpe*
短い	mijikai	*corto, breve*
難しい	muzukashii	*difícil, complicado*
易しい	yasashii	*fácil, simple, sencillo*
安い	yasui	*barato*
悪い	warui	*malo / Mal*

〜な形容詞	-na keiyooshi	Adjetivos -Na
簡単	kantan	*simple, sencillo, fácil*
きれい	kirei	*bonito, limpio*
元気	genki	*animado, vigoroso, sano*
静か	shizuka	*tranquilo, sosegado, silencioso, pacífico*
親切	shinsetsu	*afable, amable, atento*
大変	taihen	*grave, difícil, molesto*
にぎやか	nigiyaka	*jovial, alegre, animado, bullicioso*
ばか	baka	*tonto, estúpido, lerdo*
ハンサム	hansamu	*guapo*

*注 : En japonés, sorekara y soreni se consideran conjunciones

暇	hima	*ocioso*
複雑	fukuzatsu	*complejo, complicado*
有名	yuumei	*famoso, conocido*
りっぱ	rippa	*maravilloso, estupendo*

会話に出る動詞	Kaiwa ni deru dooshi	*Verbos (conjugados) que salen en la conversación*
ありませんか	arimasen ka	*¿No tienen...?*
行きましょう	ikimashoo	*¡Vamos!*
お待ち下さい	o-machi-kudasai	*Espere (forma honorífica)*
食事をしましょうか	shokuji o shimashoo ka	*(proposición) ¿Comemos?*
試してもいいですか	tameshitemo ii desu ka	*¿Puedo probármelo/a/os/as?*

第 4 課 パート 1 教科書は机の上に ありますよ。	Dai-yon-ka Paato 1 Kyookasho wa tsukue no ue ni arimasu yo.	Lección 4 Parte 1 *El libro de texto está encima del pupitre.*

会話 1	Kaiwa 1	*Conversación 1*

マリア： ジョンさん、どうしたんですか。

Maria Jon-san, dooshita-n-desu ka.

ジョン： 僕の日本語の教科書がないんです。マリアさん、見ませんでしたか。

Jon Boku no nihongo no kyookasho ga nai-n-desu. Maria-san, mimasen deshita ka.

マリア： いいえ。一緒に捜しましょうか。

Maria Iie. Isshoni sagashimashoo ka.

ジョン： ありがとう。おねがいします。

Jon Arigatoo. Onegai shimasu.

マリア： ジョンさん、教科書はそのかばんの中にありませんか。

Maria Jon-san, kyookasho wa sono kaban no naka ni arimasen ka.

ジョン： いいえ、かばんの中にはありません。もう見ました。

Jon Iie, kaban no naka ni wa arimasen. Moo mimashita.

マリア： クラスの時、教科書はありましたか。

Maria Kurasu no toki, kyookasho wa arimashita ka.

ジョン： ええ、もちろんありました。

Jon Ee, mochiron arimashita.

マリア： じゃあ、教室の中にありませんか。教室の中を捜しましょう。

Maria Jaa, kyooshitsu no naka ni arimasen ka. Kyooshitsu no naka o sagashimashoo.

（教室で）(Kyooshitsu de)

ジョン： ああ、ありました。教室の机の上にありますよ。

Jon Aa, arimashita. Kyooshitsu no tsukue no ue ni arimasu yo.

マリア： よかったですね。

Maria Yokatta desu ne

文型 1	Bunkei 1	*Modelo 1*

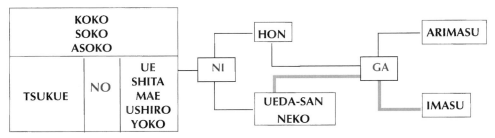

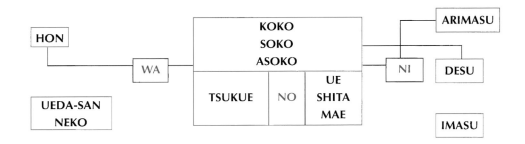

上　UE　　下　SHITA　　前　MAE　　後ろ　USHIRO　　横　YOKO

隣　TONARI　　間　AIDA　　右　MIGI　　左　HIDARI　　中　NAKA

① 机の上に本があります。
　　Tsukue no ue ni hon ga arimasu.
　　本は机の上にあります。／本は机の上です。
　　Hon wa tsukue no ue ni arimasu./ Hon wa tsukue no ue desu.

② 机の下に猫がいます。
　　Tsukue no shita ni neko ga imasu.
　　猫は机の下にいます。／猫は机の下です。
　　Neko wa tsukue no shita ni imasu./ Neko wa tsukue no shita desu.

③ 机の前に尾崎さんがいます。
　　Tsukue no mae ni Ozaki-san ga imasu.
　　尾崎さんは机の前にいます。／尾崎さんは机の前です。
　　Ozaki-san wa tsukue no mae ni imasu./ Ozaki-san wa tsukue no mae desu.

④ 机の後ろに尾崎さんがいます。

Tsukue no ushiro ni Ozaki-san ga imasu.

尾崎さんは机の後ろにいます。／尾崎さんは机の後ろです。

Ozaki-san wa tsukue no ushiro ni imasu./ Ozaki-san wa tsukue no ushiro desu.

⑤ 机の横に尾崎さんがいます。

Tsukue no yoko ni Ozaki-san ga imasu.

尾崎さんは机の横にいます。／尾崎さんは机の横です。

Ozaki-san wa tsukue no yoko ni imasu./ Ozaki-san wa tsukue no yoko desu.

⑥ 上田さんの隣に尾崎さんがいます。

Ueda-san no tonari ni Ozaki-san ga imasu.

尾崎さんは上田さんの隣にいます。／隣です。

Ozaki-san wa Ueda-san no tonari ni imasu./ tonari desu.

⑦ 上田さんとマリアさんの間に尾崎さんがいます。

Ueda-san to Maria-san no aida ni Ozaki-san ga imasu.

尾崎さんは上田さんとマリアさんの間にいます。／間です。

Ozaki-san wa Ueda-san to Maria-san no aida ni imasu. / aida desu.

⑧ キムさんの右にジョンさんがいます。

Kimu-san no migi ni Jon-san ga imasu.

ジョンさんはキムさんの右にいます。／右です。

Jon-san wa Kimu-san no migi ni imasu./ migi desu.

⑨ ハイメさんの左にジョンさんがいます。

Haime-san no hidari ni Jon-san ga imasu.

ジョンさんはハイメさんの左にいます。／左です。

Jon-san wa Haime-san no hidari ni imasu./ hidari desu.

⑩ 引き出しの中に本があります。

Hikidashi no naka ni hon ga arimasu.

本は引き出しの中にあります。／中です。

Hon wa hikidashi no naka ni arimasu./ naka desu.

文型3	Bunkei 3	Modelo 3

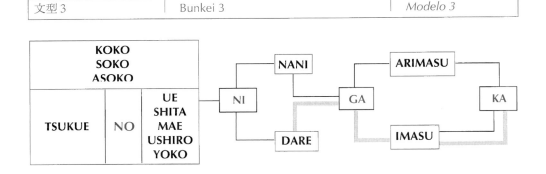

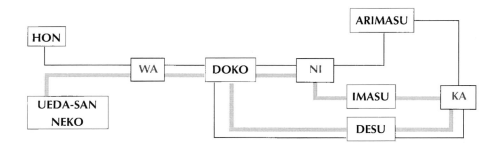

① A：机の上に何がありますか。

Tsukue no ue ni nani ga arimasu ka.

B：机の上に本があります。

Tsukue no ue ni hon ga arimasu.

② A：机の下に何がいますか。

Tsukue no shita ni nani ga imasu ka.

B：猫がいます。

Neko ga imasu.

③ A：机の前に誰がいますか。

Tsukue no mae ni dare ga imasu ka.

B：尾崎さんがいます。

Ozaki-san ga imasu.

④ A：本はどこにありますか。／本はどこですか。

Hon wa doko ni arimasu ka. / Hon wa doko desu ka.

B：本は引き出しの中にあります。／本は引き出しの中です。

Hon wa hikidashi no naka ni arimasu. / Hon wa hikidashi no naka desu.

⑤ A：猫はどこにいますか。／猫はどこですか。

Neko wa doko ni imasu ka./ Neko wa doko desu ka.

B：猫は机の下にいます。／猫は机の下です。

Neko wa tsukue no shita ni imasu./ Neko wa tsukue no shita desu.

⑥ A：尾崎さんはどこにいますか。／尾崎さんはどこですか。

Ozaki-san wa doko ni imasu ka. / Ozaki-san wa doko desu ka.

B：上田さんとマリアさんの間にいます。／間です。

Ueda-san to Maria-san no aida ni imasu. / Aida desu.

練習1 絵を見て、練習しなさい。	Renshuu 1 E o mite, renshuu shinasai.	*Práctica 1* *Practica mirando el dibujo*

{ A：机の上に何がありますか。
　Tsukue no ue ni nani ga arimasu ka.
B：本があります。
　Hon ga arimasu.

{ A：本はどこにありますか。
　Hon wa doko ni arimasu ka.
B：本は机の上にあります。
　Hon wa tsukue no ue ni arimasu.

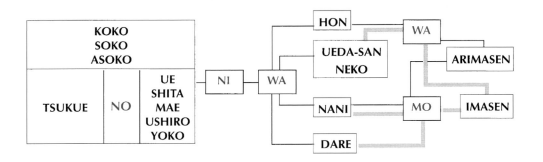

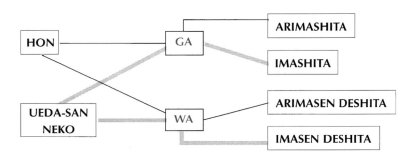

① A：ベッドの下に何かありますか。

　　Beddo no shita ni nanika arimasu ka.

　B：はい、ベッドの下にスリッパがあります。

　　Hai, beddo no shita ni surippa ga arimasu.

② A：学校の前に誰かいますか。

　　Gakkoo no mae ni dareka imasu ka.

　B：いいえ、学校の前には誰もいません。

　　Iie, gakkoo no mae ni wa daremo imasen.

③ A：前、机の上に本がありましたね。まだありますか。

　　Mae, tsukue no ue ni hon ga arimashita ne. Mada arimasu ka.

　　B：はい、まだあります。

　　　Hai, mada arimasu.

　　B：いいえ、もうありません。

　　　Iie, moo arimasen.

A : 前、机の上に何かありましたか。
　　Mae, tsukue no ue ni nanika arimashita ka.
B : はい、本がありました。
　　Hai, hon ga arimashita.
A : まだ本がありますか。
　　Mada hon ga arimasu ka.
B : いいえ、もうありません。
　　Iie, moo arimasen.

A : 今、机の上に何かありますか。
　　Ima, tsukue no ue ni nanika arimasu ka.
B : いいえ、机の上には何もありません。
　　Iie, tsukue no ue ni wa nanimo arimasen.

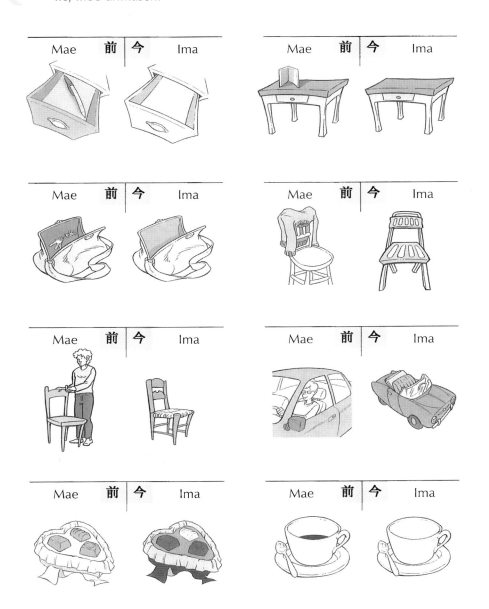

| 会話2 | Kaiwa 2 | *Conversación 2* |

キム： マックスさん、買い物に行くんですか。
Kimu　Makkusu-san, kaimono ni iku-n desu ka.
マックス： はい。
Makkusu　Hai.
キム： じゃ、ちょっとお願いしてもいいですか。
Kimu　Ja, chotto onegai shitemo ii desu ka.
マックス： はい、何ですか。
Makkusu　Hai, nan desu ka.
キム： りんごを5個と、インスタント・コーヒーをひとつ、それから、
Kimu　Ringo o go-ko to, insutanto-koohii o hitotsu, sorekara,
　　　　ボールペンを2本と、ノートを1冊お願いします。
　　　　boorupen o ni-hon to, nooto o is-satsu onegai shimasu.
マックス： ええ、いいですよ。
Makkusu　Ee, ii desu yo.

| 数詞1 | Suushi 1 | *Sufijos numerales 1* |

	いくつ **ikutsu**	何冊 **nan-satsu**	何枚 **nan-mai**	何本 **nan-bon**	何個 **nan ko**	何人 **nan-nin**	何匹 **nan-biki**
1	hito-tsu	is-satsu	ichi-mai	ip-pon	ik-ko	hito-ri	ip-piki
2	futa-tsu	ni-satsu	ni-mai	ni-hon	ni-ko	futa-ri	ni-hiki
3	mit-tsu	san-satsu	san-mai	san-bon	san-ko	san-nin	san-biki
4	yot-tsu	yon-satsu	yon-mai	yon-hon	yon-ko	yo-nin	yon-hiki
5	itsu-tsu	go-satsu	go-mai	go-hon	go-ko	go-nin	go-hiki
6	mut-tsu	roku-satsu	roku-mai	rop-pon	rok-ko	roku-nin	rop-piki
7	nana-tsu	nana-satsu	nana-mai shichi-mai	nana-hon	nana-ko	nana-nin shichi-nin	nana-hiki
8	yat-tsu	has-satsu	hachi-mai	hap-pon hachi-hon	hak-ko hachi-ko	hachi-nin	hap-piki hachi-hiki
9	kokono-tsu	kyuu-satsu	kyuu-mai	kyuu-hon	kyuu-ko	kyuu-nin	kyuu-hiki
10	too	jus-satsu	juu-mai	jup-pon	juk-ko	juu-nin	jup-piki

練習 1	Renshuu 1	*Práctica 1*
絵を見て、練習しなさい。	E o mite, renshuu shinasai.	*Practica mirando los dibujos*

A : いくつありますか。
　　Ikutsu **arimasu** ka.
B : ふたつあります。
　　Futatsu **arimasu.**

A : 何本ありますか。
　　Nan-bon **arimasu** ka.
B : 3本あります。
　　San-bon **arimasu.**

練習2 絵を見て、練習しなさい。	Renshuu 2 E o mite, renshuu shinasai.	*Práctica 2* *Practica mirando los dibujos*

A：いらっしゃいませ。
　　Irasshaimase.
B：ボールペンはいくらですか。
　　Boorupen wa ikura desu ka.
A：１本100円です。
　　Ip-pon hyaku en desu.
B：じゃ、３本ください。
　　Ja, san-bon kudasai.
A：はい。300円いただきます。
　　Hai. San-byaku en itadakimasu.

A：いらっしゃいませ。
　　Irasshaimase.
B：コーヒーはいくらですか。
　　Koohii wa ikura desu ka.
A：400円です。
　　Yon-hyaku en desu.
B：ケーキは。
　　Keeki wa?
A：460円です。
　　Yon-hyaku roku-juu en desu.
B：じゃ、コーヒーとケーキをください。
　　Ja, koohii to keeki o kudasai.
A：はい。860円いただきます。
　　Hai. Hap-pyaku roku-juu en itadakimasu.

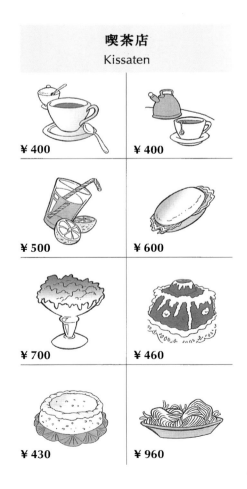

コンビニエンス・ストアー
Konbiniensu sutoaa

¥ 250	¥ 300
¥ 350	¥ 370
¥ 300	¥ 550
¥ 250	¥ 230

喫茶店
Kissaten

¥ 400	¥ 400
¥ 500	¥ 600
¥ 700	¥ 460
¥ 430	¥ 960

練習3 クラスメートの部屋の描写を 聞いて、絵を描きなさい。	Renshuu 3 Kurasumeeto no heya no byoosha o kiite, e o kakinasai.	*Práctica 3* *Escucha la descripción que hace tu compañero de su habitación y dibújala.*

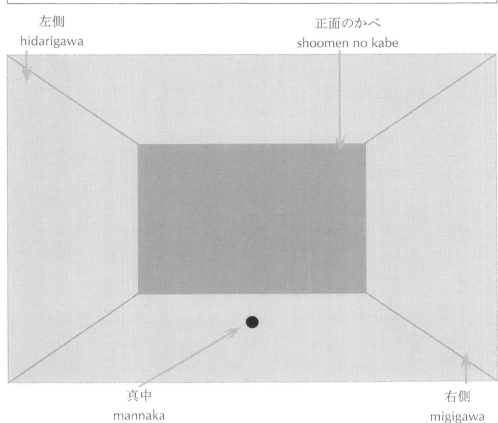

左側
hidarigawa

正面のかべ
shoomen no kabe

真中
mannaka

右側
migigawa

練習4 あなたの部屋はどんな 部屋ですか。	Renshuu 4 Anata no heya wa donna heya desu ka.	*Práctica 4* *¿Cómo es tu habitación?*

_____

_____

_____

_____

_____

_____

_____ 。

?	何杯 nan-bai	何台 nan-dai	何度 nan-do	何分 nan-pun	何羽 nan-ba	何軒 nan-ken	何階 nan-kai/gai
1	ip-pai	ichi-dai	ichi-do	ip-pun	ichi-wa	ik-ken	ik-kai
2	ni-hai	ni-dai	ni-do	ni-fun	ni-wa	ni-ken	ni-kai
3	san-bai	san-dai	san-do	san-pun	san-ba	san-ken san-gen	san-kai san-gai
4	yon-hai	yon-dai	yon-do	yon-pun	yon-wa	yon-ken	yon-kai
5	go-hai	go-dai	go-do	go-fun	go-wa	go-ken	go-kai
6	rop-pai	roku-dai	roku-do	rop-pun	rop-pa	rok-ken	rok-kai
7	nana-hai	nana-dai	nana-do	nana-fun	nana-wa	nana-ken	nana-kai
8	hachi-hai hap-pai	hachi-dai	hachi-do	hachi-fun hap-pun	hachi-wa	hachi-ken hak-ken	hachi-kai hak-kai
9	kyuu-hai	kyuu-dai	kyuu-do	kyuu-fun	kyuu-wa	kyuu-ken	kyuu-kai
10	jup-pai	juu-dai	juu-do	jip-pun	jup-pa	juk-ken	juk-kai

動物 / 物 Doobutsu / mono　　ANIMALES COSAS	人 Hito　　PERSONAS
何が / nani-ga / ¿Qué? 何か / nani-ka / Algo 何も / nani-mo / Nada	誰が / dare-ga / ¿Quién? 誰か / dare-ka / Alguien 誰も / dare-mo / Nadie

DESU	DEWA ARIMASEN	DESHITA	DEWA ARIMASEN DESHITA
Soy, eres, es, etc.	No soy, no eres, etc.	Era, eras, etc.	No era, no eras, etc.
Equivale al verbo SER y ESTAR. Se usa para referirse a personas, animales y cosas.			
ARIMASU	ARIMASEN	ARIMASHITA	ARIMASEN DESHITA
Hay /Está, etc.	No hay / No está, etc.	Había/ Estaba, etc.	No había/ No estaba, etc.
Equivale a los verbos TENER, HABER y ESTAR. Se usa para referirse a cosas			
IMASU	IMASEN	IMASHITA	IMASEN DESHITA
Hay / Estoy, etc.	No hay / No estoy, etc.	Había/ Estaba, etc.	No había/ No estaba, etc.
Equivale a los verbos TENER, HABER y ESTAR. Se usa para referirse a personas y animales.			

位置	Ichi	Localización

ここ	そこ	あそこ	どこ
koko	soko	asoko	doko

~ の間	no aida	*entre~*
~ の上	no ue	*encima de~*
~ の後ろ	no ushiro	*detrás de~*
~ の奥	no oku	*en el fondo de~*
~ の下	no shita	*debajo de~*
~ のそば	no soba	*cerca de~*
~ の隣	no tonari	*al lado de~*
~ の中	no naka	*dentro de~*
~ の左	no hidari	*a la izquierda de~*
~ の左側	no hidarigawa	*al lado izquierdo de~*
~ の前	no mae	*delante de~*
~ の真中	no mannaka	*en el centro de~*
~ の右	no migi	*a la derecha de~*
~ の右側	no migigawa	*al lado derecho~*
~ の横	no yoko	*al lado de~*

語彙	Goi	Vocabulario

アイスクリーム	aisukuriimu	*helado*
いっしょに	isshoni	*junto/s*
今	ima	*ahora*
インスタント・コーヒー	insutanto koohii	*café instantáneo*
男の子	otoko no ko	*niño*

女の子	onna no ko	*niña*
男の人	otoko no hito	*hombre*
女の人	onna no hito	*mujer*
オレンジ・ジュース	orenji juusu	*zumo de naranja*
おもちゃ	omocha	*juguete*
かぎ	kagi	*llave*
カップ	kappu	*taza*
花びん	kabin	*jarrón*
紙	kami	*papel*
教室	kyooshitsu	*aula*
クッション	kusshon	*almohadón*
くつずみ	kutsu-zumi	*betún*
クラス	kurasu	*clase*
車	kuruma	*coche*
コーンフレークス	koonfureekusu	*cereales*
コップ	koppu	*vaso*
子供	kodomo	*niño/a/os/as*
皿	sara	*plato*
シャツ	shatsu	*camisa*
シャンプー	shanpuu	*champú*
じゅうたん	juutan	*alfombra*
ステレオ	sutereo	*stereo*
スパゲッティー	supagettii	*spaghettis*
スプーン	supuun	*cuchara*
ズボン	zubon	*pantalones*
ソファー	sofaa	*sofá*
チーズケーキ	chiizu keeki	*pastel de queso*
茶碗	chawan	*bol para comer arroz*
チョコレート	chokoreeto	*chocolate, bombón*
チョコレートケーキ	chokoreeto keeki	*pastel de chocolate*
机	tsukue	*mesa, escritorio*
ティッシュ	tisshu	*pañuelos de papel*
テーブル	teeburu	*mesa*
手紙	tegami	*carta*
テレビ	terebi	*televisor, televisión*
電池	denchi	*pilas*
ナイフ	naifu	*cuchillo*
人形	ningyoo	*muñeco/a*
ネクタイ	nekutai	*corbata*
箱	hako	*caja*
箸	hashi	*palillos*

バナナ	banana	*plátano*
歯ブラシ	ha-burashi	*cepillo de dientes*
歯磨き	ha-migaki	*pasta dentífrica*
ハムサンド	hamu-sando	*sandwich de jamón York*
引き出し	hikidashi	*cajón*
ビデオ	bideo	*vídeo*
便箋	binsen	*papel de cartas*
フォーク	fooku	*tenedor*
ベッド	beddo	*cama*
部屋	heya	*habitación*
ペン	pen	*pluma estilográfica*
本棚	hondana	*estantería para libros*
前	mae	*delante / antes*
まだ	mada	*todavía*
窓	mado	*ventana*
もう	moo	*ya*
もちろん	mochiron	*por supuesto, claro, no faltaría más*
よかった	yokatta	*¡Qué bien!*
りんご	ringo	*manzana*

会話に出る動詞	Kaiwa ni deru dooshi	*Verbos (conjugados) que salen en la conversación*

お願いしてもいいですか | onegai shitemo ii desu ka
¿Podrías hacerme un favor?

買い物に行くんですか | kaimono ni iku-n desu ka
¿Vas de compras?

捜しましょう | sagashimashoo
Busquemos

どうしたんですか | dooshita-n desu ka
¿Qué te/le/os/les pasa?

ないんです | nai-n desu
Arimasen No hay/ no está

もう見ました | moo mimashita
Ya lo he/has/ha... mirado/visto

見ませんでしたか | mimasen deshita ka
¿No lo has/ha...visto?

| 第 5 課
パート 1
上田さんはこれから
何をしますか。 | Dai-go-ka
Paato 1
Ueda san wa kore kara nani
o shimasu ka. | *Lección 5*
Parte 1
¿Qué vas a hacer
ahora? |

会話 1

（会社で）

上田： やっと5時ですね。尾崎さん、もう仕事が終わりましたか。

尾崎： ええ。上田さんはこれから何をしますか。僕はジョンさんとマリア
さんと一緒に晩御飯を食べます。上田さんも一緒に行きませんか。

上田： 本当ですか。喜んで。何時にジョンさんとマリアさんに会いますか。

尾崎： 5時半に新宿駅の西口で会います。急ぎましょう。

（新宿駅で）

上田： どこで晩御飯を食べましょうか。

尾崎： いつもの料理屋で日本料理を食べましょう。今日は金曜日で、多分
込んでいますから、さっき電話で席を予約しました。
彼らはまだですね。ここで待ちましょう。
あっ、上田さん、彼らが来ますよ。二人に紹介しますよ。

文型 1

Grupo I	ARU-KU	ARU-KI	
Grupo II	TABE-RU	TABE-	
Grupo III	SU-RU	SHI-	
	KU-RU	KI-	

-MASU — [KA]

-MASEN

文型 2

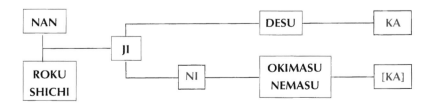

① A：学校は何時に始まりますか。何時に終わりますか。
B：午前9時に始まります。そして午後4時に終わります。

② A：夜、何時に寝ますか。
　B：１１時ごろ（に）寝ます。

① A：何で会社へ行きますか。
　B：車で行きます。
② A：夜、何時に家に帰りますか。
　B：９時半に帰ります。
③ 私は毎日１２時に学校に来ます。
④ 尾崎さんは電車で会社へ行きます。
⑤ 上田さんは歩いて家へ帰ります。

練習１　絵を見て練習しなさい。　　　　　　　　*Practica mirando los dibujos*

{
A：何時に学校へ行きますか。
B：８時半に行きます。
A：何で行きますか。
B：自転車で行きます。
}

{
A：何時に家に帰りますか。
B：９時ごろ（に）帰ります。
A：どうやって帰りますか。
B：歩いて帰ります。
}

9:00	8:30	16:10	12:30
9:30	11:45	21:00	18:30

練習2	クラスメートにどうやって学校へ 来たか聞きなさい。	Pregunta a tus compañeros cómo han venido a la escuela

名前	どうやって来たか	名前	どうやって来たか

文型4

① A：だれと昼ご飯を食べますか。
　　B：家族と食べます。
　　A：どこで食べますか。
　　B：家で食べます。
② A：会社の仕事は何時に終わりますか。
　　B：6時に終わります。
　　A：仕事の後、何をしますか。
　　B：友達と喫茶店でビールを飲みます。
③ ジョンさんはキムさんと一緒にきれいなレストランで晩御飯を食べます。

文型5

① A：誰に電話をしますか。
　　B：恋人に電話をします。
② 尾崎さんは上田さんにマリアさんとジョンさんを紹介します。

何を？　　　どこで？　　　だれが？

だれと？　　　どこへ？

だれに？　　　何で？　　　どこに？

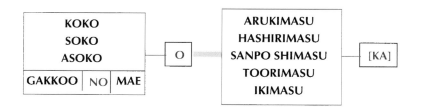

① A：あのバスは日本語学校の前を通りますか。

B：はい、通ります。

② 尾崎さんとマリアさんはにぎやかな通りを歩きます。

③ 毎週日曜日にマックスさんは公園を散歩します。

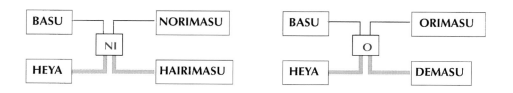

① A：尾崎さんは三鷹駅で電車に乗ります。

B：どこで電車を降りますか。

A：東京駅で降ります。

れんしゅう 練習4 どうやって学校へ来るか詳しく せつめい 説明しなさい。	*Explica detalladamente cómo vienes a la escuela*

_____

_____

_____

_____

_____

_____

_____。

{ A：あの人は何をしますか。
{ B：あの人は家に入ります。

練習6　適当な言葉を捜して、　　　　　　　*Busca la palabra adecuada y*
　　　　助詞をつけなさい。　　　　　　　　*pon la partícula*

コーヒー	[　]	洗います
日本語	[　]	書きます
音楽	[　]	読みます
窓	[　]	起きます
バス		飲みます
電車	[　]	乗ります
電気	[　]	降ります
顔	[　]	開けます
新聞	[　]	つけます
7時	[に]	話します
京都	[　]	聞きます
手紙	[　]	行きます

A：朝、コーヒーを飲みますか。
→ B：はい、飲みます。
→ B：いいえ、飲みません。
→ B：いいえ、コーヒーは飲みません。紅茶を飲みます。

私は朝コーヒーは飲みませんが、紅茶は飲みます。

□	→	は	を	→	は
が	→	は	に	→	には
で	→	では	へ	→	へは

練習 7　絵を見て練習しなさい。　　　　　　*Practica mirando los dibujos*

A：尾崎さんは朝学校　行きますか。
B：いいえ、学校へは行きません。会社へ行きます。

尾崎さんは朝学校へは行きませんが、会社へは行きます。

6:00　　　7:00

会話2

尾崎： ジョンさん、今度の土曜日に京都へ行きませんか。ジョンさんはまだ京都を知りませんね。よかったら、僕が案内しますよ。

ジョン： そうですか。ぜひお願いします。尾崎さんはよく京都へ行きますか。

尾崎： 最近はあまり行きません。でも前はよく行きました。

ジョン： 京都へ何で行きましょうか。尾崎さんの車で行きましょうか。

尾崎： いいえ、新幹線で行きましょう。

ジョン： 土曜日、一日で京都を見ることができますか。

尾崎： 一日でみんな見ることはできません。京都には有名なお寺や庭や古い建物がたくさんあります。だから土曜日の夜、京都に泊まりましょう。そしてゆっくり京都を散歩しましょう。

ジョン： ああ、いいですね。僕は京都をぜんぜん知りません。だから、今日京都の本を買います。

文型1

① A：よく映画を見ますか。
   B：はい、よく見ます。

② A：よくスポーツをしますか。
   B：いいえ、あまりしません。

③ A：よくチェスをしますか。
   B：いいえ、ぜんぜんしません。

④ 私は いつも家で朝ご飯を食べます。

> A：よく映画を見ますか。
> B：いいえ、ほとんど見ません。

なまえ	なまえ	なまえ	なまえ	なまえ	
					映画を見る
					料理をする
					海へ行く
					旅行をする
					遊園地へ行く
					本を読む
					音楽を聞く
					パーティーに行く

| 練習2　つぎの文を完成しなさい。 | Completa las frases siguientes |

吉田さんは電気＿＿＿＿＿＿＿＿＿＿＿＿＿＿＿＿＿＿＿＿＿＿＿＿＿＿。

田中さんは電車＿＿＿＿学校＿＿＿＿＿＿＿＿＿＿＿＿＿＿＿＿＿＿＿＿。

ジョンさんは毎日＿＿＿＿＿＿＿＿＿＿＿＿＿＿＿＿＿＿＿＿＿＿＿＿＿。

尾崎さんは会社＿＿＿＿＿＿＿＿＿＿＿＿＿＿＿＿＿＿＿＿＿＿＿＿＿。

なまえ	なまえ	なまえ	なまえ	なまえ	
					起きる時間について
					朝ご飯について
					仕事について
					昼ご飯について
					帰る時間について
					晩御飯について
					寝る時間について

メモ	Memo	Apuntes

TIEMPO + NI + VERBO		
3時	: las tres	
3時ごろ	: las tres aprox.	
3月2日	: el día dos de marzo	+ NI
1998年	: el año 1998	
月曜日	: el lunes	

TIEMPO + ☐ + VERBO		
さん じ 3時ごろ	: las tres aproximadamente	
きょねん ことし らいねん 去年 今年 来年	: el año pasado/ este año / el año próximo	**SIN**
せんげつ こんげつ らいげつ 先月 今月 来月	: el mes pasado/este mes/el mes próximo	**PARTÍCULA**
せんしゅう こんしゅう らいしゅう 先週 今週 来週	: la semana pasada/ esta / la próxima semana	**NI**
きの う きょう あし た 昨日 今日 明日	: ayer / hoy / mañana	

時間	Jikan	Tiempo
朝	asa	*la / por la mañana*
あさって	asatte	pasado mañana
おととい	ototoi	*anteayer*
今朝	kesa	*esta mañana*
午後	gogo	*la / por la tarde*
今晩	konban	*esta noche*
昼	hiru	*el / a mediodía*
毎朝	mai-asa	*cada mañana*
毎月	mai-getsu / mai-tsuki	*cada mes*
毎週	mai-shuu	*cada semana*
毎日	mai-nichi	*cada día*
毎年	mai-nen / mai-toshi	*cada año*
毎晩	mai-ban	*cada noche*
夕方	yuugata	*al atardecer*
夕べ	yuube	*anoche*
夜	yoru	*la / por la noche*

副詞	Fukushi	Adverbios
あまり	amari	*no muy/ no mucho*
急いで	isoide	*deprisa*
いつも	itsumo	*siempre*
遅く	osoku	*tarde*
是非	zehi	*sin falta*
ぜんぜん	zenzen	*nada, en absoluto, nunca*
たくさん	takusan	*mucho*
多分	tabun	*quizás*

どうやって	doo yatte	*cómo*
時々	toki-doki	*a veces*
早く	hayaku	*pronto*
速く	hayaku	*rápido*
ほとんど	hotondo	*casi / casi nunca*
やっと	yatto	*por fin*
ゆっくり	yukkuri	*despacio*
よく	yoku	*a menudo / bien*

語彙	Goi	Vocabulario

朝ご飯	asa-gohan	*desayuno*
後	ato	*luego, después*
家	uchi/ie	*casa, hogar*
海	umi	*mar*
絵	e	*dibujo, cuadro*
映画	eiga	*película, cine*
駅	eki	*estación*
起きる時間	okiru jikan	*hora de levantarse*
お寺	o-tera	*templo budista*
音楽	ongaku	*música*
会社	kaisha	*empresa*
顔	kao	*cara*
家族	kazoku	*familia*
京都	Kyooto	*ciudad de Kyoto*
喫茶店	kissaten	*cafetería*
恋人	koibito	*novio/a*
公園	kooen	*parque*
これから	kore-kara	*ahora, a partir de ahora*
～ごろ	~goro	*(con fecha u hora aproximadamente)*
今度	kondo	*el próximo*
最近	saikin	*últimamente*
さっき	sakki	*hace un rato*
自転車	jitensha	*bicicleta*
紹介	shookai	*presentación*
新宿駅	Shinjuku-eki	*estación Shinjuku*

スーパーマーケット	suupaamaaketto	supermercado
スポーツ	supootsu	deporte
席	seki	asiento
建物	tatemono	edificio
地下鉄	chikatetsu	ferrocarril metropolitano
チェス	chesu	ajedrez
手	te	mano
手紙	tegami	carta
電気	denki	luz eléctrica, electricidad
電車	densha	tren
電話	denwa	teléfono
通り	toori	calle
図書館	toshokan	biblioteca
友達	tomodachi	amigo/a
西口	nishi-guchi	boca de entrada/salida oeste
～ について	~ nitsuite	sobre~, acerca de~
庭	niwa	jardín
寝る時間	neru jikan	hora de acostarse
バス	basu	autobús
ビール	biiru	cerveza
橋	hashi	puente
晩ご飯	ban-gohan	cena
パン	pan	pan
昼ご飯	hiru-gohan	almuerzo
服	fuku	ropa
二人	futari	dos / los dos
部屋	heya	habitación
本当	hontoo	verdad
窓	mado	ventana
ミルク	miruku	leche
遊園地	yuuenchi	parque de atracciones
郵便局	yuubinkyoku	Correos
よかったら	yokattara	si quiere/s
予約	yoyaku	reserva

動詞	Dooshi	Verbos

1 Forma diccionario			Presente Afirmativo	Presente Negativo
会う	au	encontrarse a / con	AIMASU	AIMASEN
遊ぶ	asobu	jugar / divertirse	ASOBIMASU	ASOBIMASEN
洗う	arau	lavar	ARAIMASU	ARAIMASEN
ある	aru	haber/estar/tener (cosas)	ARIMASU	ARIMASEN
歩く	aruku	andar	ARUKIMASU	ARUKIMASEN
言う	iu	decir	IIMASU	IIMASEN
行く	iku	ir	IKIMASU	IKIMASEN
歌う	utau	cantar	UTAIMASU	UTAIMASEN
売る	uru	vender	URIMASU	URIMASEN
送る	okuru	enviar	OKURIMASU	OKURIMASEN
泳ぐ	oyogu	nadar	OYOGIMASU	OYOGIMASEN
終わる	owaru	(int) terminar	OWARIMASU	OWARIMASEN
買う	kau	comprar	KAIMASU	KAIMASEN
帰る	kaeru	regresar	KAERIMASU	KAERIMASEN
書く	kaku	escribir	KAKIMASU	KAKIMASEN
聞く	kiku	escuchar, oir, preguntar	KIKIMASU	KIKIMASEN
切る	kiru	cortar	KIRIMASU	KIRIMASEN
消す	kesu	apagar / borrar	KESHIMASU	KESHIMASEN
吸う	suu	(tabako o) fumar/sorber	SUIMASU	SUIMASEN
出す	dasu	sacar	DASHIMASU	DASHIMASEN
使う	tsukau	utilizar	TSUKAIMASU	TSUKAIMASEN
着く	tsuku	llegar	TSUKIMASU	TSUKIMASEN
作る	tsukuru	hacer, producir	TSUKURIMASU	TSUKURIMASEN
通る	tooru	pasar	TOORIMASU	TOORIMASEN
取る	toru	coger	TORIMASU	TORIMASEN
撮る	toru (shashin o)	fotografiar	TORIMASU	TORIMASEN
飲む	nomu	beber	NOMIMASU	NOMIMASEN
乗る	noru	subirse a / coger (medio de transporte)	NORIMASU	NORIMASEN
入る	hairu	entrar	HAIRIMASU	HAIRIMASEN
始まる	hajimaru	(int) empezar	HAJIMARIMASU	HAJIMARIMASEN
働く	hataraku	trabajar	HATARAKIMASU	HATARAKIMASEN

			Presente Afirmativo	Presente Negativo
話す	hanasu	*hablar*	HANASHIMASU	HANASHIMASEN
待つ	matsu	*esperar*	MACHIMASU	MACHIMASEN
休む	yasumu	*descansar*	YASUMIMASU	YASUMIMASEN
読む	yomu	*leer*	YOMIMASU	YOMIMASEN
分かる	wakaru	*comprender / saber*	WAKARIMASU	WAKARIMASEN
笑う	warau	*reir*	WARAIMASU	WARAIMASEN

2 Forma diccionario

			Presente Afirmativo	Presente Negativo
開ける	akeru	*abrir*	AKEMASU	AKEMASEN
浴びる	abiru (shawaa o)	*ducharse*	ABIMASU	ABIMASEN
居る	iru	*haber /estar /tener (personas o animales)*	IMASU	IMASEN
入れる	ireru	*meter*	IREMASU	IREMASEN
起きる	okiru	*levantarse*	OKIMASU	OKIMASEN
教える	oshieru	*enseñar*	OSHIEMASU	OSHIEMASEN
降りる	oriru	*bajar / apearse*	ORIMASU	ORIMASEN
かける	kakeru (denwa o)	*telefonear*	KAKEMASU	KAKEMASEN
答える	kotaeru	*responder*	KOTAEMASU	KOTAEMASEN
閉める	shimeru	*(tr) cerrar*	SHIMEMASU	SHIMEMASEN
食べる	taberu	*comer*	TABEMASU	TABEMASEN
つける	tsukeru	*encender*	TSUKEMASU	TSUKEMASEN
出る	deru	*salir*	DEMASU	DEMASEN
寝る	neru	*dormir / acostarse*	NEMASU	NEMASEN
始める	hajimeru	*(tr) empezar*	HAJIMEMASU	HAJIMEMASEN
見る	miru	*mirar , ver*	MIMASU	MIMASEN
忘れる	wasureru	*olvidar*	WASUREMASU	WASUREMASEN

3 Forma diccionario

			Presente Afirmativo	Presente Negativo
する	suru	*hacer*	SHIMASU	SHIMASEN
来る	kuru	*venir*	KIMASU	KIMASEN

買物をする	kaimono o suru	*hacer la compra*
結婚する	kekkon suru	*casarse*
散歩する	sanpo suru	*pasear*
仕事をする	shigoto o suru	*trabajar*
食事をする	shokuji o suru	*comer*
心配する	shinpai suru	*preocuparse*
スポーツをする	supootsu o suru	*hacer deporte*
洗濯をする	sentaku o suru	*hacer la colada*
掃除をする	sooji o suru	*hacer la limpieza*
電話をする	denwa o suru	*telefonear*
勉強する	benkyoo suru	*estudiar*
料理をする	ryoori o suru	*hacer la comida*
旅行をする	ryokoo o suru	*viajar*

会話に出る動詞	Kaiwa ni deru dooshi	*Verbos (conjugados) que salen en la conversación*

歩いて	aruite	*Andando / A pie*
行きませんか	ikimasen ka	*(invitación) ¿Vamos a...?*
急ぎましょう	isogimashoo	*Démonos prisa*
終わりましたか	owarimashita ka	*¿Ha/s/ hemos, etc. terminado?*
込んでいます	konde imasu	*Está lleno*
見ることができます	miru koto ga dekimasu	*Poder ver*
食べましょうか	tabemashoo ka	*¿Comemos?*
待ちましょう	machimashoo	*Esperemos*

第6課 パート1 よかったら、旅館 に泊まりませんか。	Dai-rok-ka Paato 1 Yokattara, ryokan ni tomarimasen ka.	Lección 6 Parte 1 Si quieres, nos alojamos en el ryokan.

会話1

（駅で）

ジョン： 新幹線は速いですね。もう京都に着きましたよ。

尾崎： 東京から京都までちょうど2時間半かかりましたね。

ジョン： 今から何をしましょうか。ホテルを捜しましょうか。

尾崎： ええ、そうですね。ジョンさん、よかったら、旅館に泊まりませ
んか。

ジョン： 旅館ですか。いいですね。泊まりましょう。
尾崎さんは前よく京都に来ましたね。だれかと一緒に来ましたか。

尾崎： いいえ、いつも一人で来ました。

ジョン： どこに泊まりましたか。ホテルですか。

尾崎： いいえ、ホテルには泊まりませんでした。いつも旅館に泊まりました。
さあ、僕がよく泊まった旅館に行きましょう。

文型1

Grupo I	ARU-KU	ARU-KI			-MASEN	KA
Grupo II	TABE-RU	TABE-				
Grupo III	SU-RU	SHI-			-MASHOO	[KA]
	KU-RU	KI-				

① A：よかったら、一緒にハイキングに行きませんか。

　　 B：ハイキングですか。いいですね。行きましょう。

② A：ビールを飲みましょうか。

　　 B：ビールですか。ビールはちょっと …。

A：よかったら、<ruby>一緒<rt>いっしょ</rt></ruby>に<ruby>海<rt>うみ</rt></ruby>へ<ruby>行<rt>い</rt></ruby>きませんか。

B：<ruby>海<rt>うみ</rt></ruby>ですか。いいですね。<ruby>行<rt>い</rt></ruby>きましょう。

<ruby>文型<rt>ぶんけい</rt></ruby>2

Grupo I	ARU-KU	ARU-KI
Grupo II	TABE-RU	TABE-
Grupo III	SU-RU	SHI-
	KU-RU	KI-

-MASHITA

-MASEN DESHITA — [KA]

DE ARU — DESHITA

DEWA ARIMASEN DESHITA

① A：<ruby>夕<rt>ゆう</rt></ruby>べ、どこかへ<ruby>行<rt>い</rt></ruby>きましたか。

　 B：はい、<ruby>映画<rt>えいが</rt></ruby>に<ruby>行<rt>い</rt></ruby>きました。

② <ruby>私<rt>わたし</rt></ruby>は<ruby>今朝<rt>けさ</rt></ruby>、デパートで<ruby>赤<rt>あか</rt></ruby>いセーターを<ruby>買<rt>か</rt></ruby>いました。

③ A：<ruby>今朝<rt>けさ</rt></ruby>、<ruby>何<rt>なん</rt></ruby>で<ruby>学校<rt>がっこう</rt></ruby>へ<ruby>来<rt>き</rt></ruby>ましたか。

　 B：<ruby>地下鉄<rt>ちかてつ</rt></ruby>で<ruby>来<rt>き</rt></ruby>ました。

　 A：だれかと<ruby>来<rt>き</rt></ruby>ましたか。

　 B：いいえ、<ruby>一人<rt>ひとり</rt></ruby>で<ruby>来<rt>き</rt></ruby>ました。

④　A：先週の日曜日にどこかへ行きましたか。

　　B：いいえ、どこへも行きませんでした。ずっと家にいました。

⑤　A：今朝、何か食べましたか。

　　B：いいえ、何も食べませんでした。

⑥　A：今日の午後、誰かに会いましたか。

　　B：いいえ、誰にも会いませんでした。

⑦　今晩誰からも電話がありませんでした。

文型3

どこかへいきましたか。

- はい、デパートへいきました。
- いいえ、どこへもいきませんでした。

なにかたべましたか。

- はい、ケーキをたべました。
- いいえ、なにもたべませんでした。

だれかきましたか。

- はい、たなかさんがきました。
- いいえ、だれもきませんでした。

だれかにあいましたか。

- はい、たなかさんにあいました。
- いいえ、だれにもあいませんでした。

だれが？　　　　何を？　　　　　どこで？

いつ？　　　　　　だれと？

何時に？　　　何で？　　　　だれに？

7:30

19:45

17:00

どようび

にちようび

すいようび

にちようび

10:00

12:00

きんようび

せんしゅう
のどようび

きんようび

15:00

おととい

けさ

きのう

文型 4

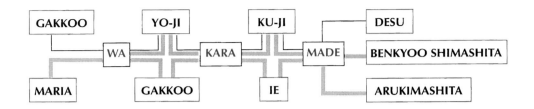

| GAKKOO | | YO-JI | | KU-JI | | | DESU |
| MARIA | WA | GAKKOO | KARA | IE | MADE | BENKYOO SHIMASHITA / ARUKIMASHITA | |

練習 3　絵を見て練習しなさい。　　　　　*Practica mirando los dibujos*

A：学校は何時から何時までですか。
B：9時から4時までです。

A：マックスさんは何時から何時までテレビを見ましたか。
B：3時から6時まで見ました。／ 3時間見ました。

90

<ruby>朝<rt>あさ</rt></ruby>ご<ruby>飯<rt>はん</rt></ruby>の<ruby>前<rt>まえ</rt></ruby>に

<ruby>勉強<rt>べんきょう</rt></ruby>する<ruby>前<rt>まえ</rt></ruby>に

？

それから

その<ruby>後<rt>あと</rt></ruby>で

だから

そして

でも

6:00

8:00

9:00 ～ 12:00　　12:00　　18:00

19:15　　20:00

23:00

	分	時間	日（間）	週間	ヶ月	年
?	nan-pun	nan-ji-kan	nan-nichi(kan)	nan-shuu-kan	nan-ka-getsu	nan-nen
?	dono			kurai/gurai		
1	ip-pun	ichi-ji-kan	ichi-nichi	is-shuu-kan	ik-ka-getsu	ichi-nen
2	ni-fun	ni-ji-kan	futsu-ka(kan)	ni-shuu-kan	ni-ka-getsu	ni-nen
3	san-pun	san-ji-kan	mik-ka(kan)	san-shuu-kan	san-ka-getsu	san-nen
4	yon-pun	yo-ji-kan	yok-ka(kan)	yon-shuu-kan	yon-ka-getsu	yo-nen
5	go-fun	go-ji-kan	itsu-ka(kan)	go-shuu-kan	go-ka-getsu	go-nen
6	rop-pun	roku-ji-kan	mui-ka(kan)	roku-shuu-kan	rok-ka-getsu	roku-nen
7	nana-fun	shichi-ji-kan / nana-ji-kan	nano-ka(kan)	nana-shuu-kan	nana-ka-getsu	shichi-nen / nana-nen
8	hachi-fun / hap-pun	hachi-ji-kan	yoo-ka(kan)	has-shuu-kan	hak-ka-getsu	hachi-nen
9	kyuu-fun	ku-ji-kan	kokono-ka(kan)	kyuu-shuu-kan	kyuu-ka-getsu	kyuu-nen
10	jup-pun / jip-pun	juu-ji-kan	too-ka(kan)	jus-shuu-kan / jis-shuu-kan	juk-ka-getsu / jik-ka-getsu	juu-nen

① A：家から学校まで何分かかりますか。
B：45分ぐらいかかります。／45分ぐらいです。

② A：夜、何時間寝ますか。
B：7時間半ぐらい寝ます。／7時間半ぐらいです。

③ A：ベルリンにどのぐらいいましたか。
B：1週間いました。／1週間です。

④ A：日本でどのぐらい日本語を勉強しましたか。
B：6ヵ月勉強しました。／6ヵ月です。

⑤ セルヒオさんは7年日本語を勉強しました。

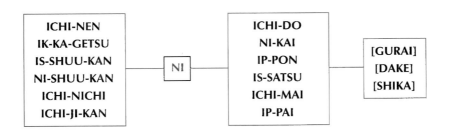

① A：<ruby>上田<rt>うえだ</rt></ruby>さんはよく<ruby>旅行<rt>りょこう</rt></ruby>しますか。
　 B：いいえ、<ruby>1年<rt>いちねん</rt></ruby>に<ruby>一度<rt>いちど</rt></ruby>だけです。
② A：マリアさんはよく<ruby>映画<rt>えいが</rt></ruby>を<ruby>見<rt>み</rt></ruby>ますか。
　 B：はい、よく<ruby>見<rt>み</rt></ruby>ます。<ruby>1週間<rt>いっしゅうかん</rt></ruby>に2<ruby>本<rt>にほん</rt></ruby>ぐらいです。
③ A：ジョンさんはよく<ruby>本<rt>ほん</rt></ruby>を<ruby>読<rt>よ</rt></ruby>みますか。
　 B：そうですね。あまり<ruby>読<rt>よ</rt></ruby>みませんね。<ruby>1ヶ月<rt>いっかげつ</rt></ruby>に<ruby>1冊<rt>いっさつ</rt></ruby>しか<ruby>読<rt>よ</rt></ruby>みません。
④ マックスさんは<ruby>1週間<rt>いっしゅうかん</rt></ruby>に<ruby>3時間<rt>さんじかん</rt></ruby><ruby>日本語<rt>にほんご</rt></ruby>を<ruby>勉強<rt>べんきょう</rt></ruby>します。

<ruby>練習<rt>れんしゅう</rt></ruby> 5　<ruby>自分<rt>じぶん</rt></ruby>のこととクラスメート のことを<ruby>書<rt>か</rt></ruby>きなさい。	*Escribe sobre ti mismo y* *tus compañeros*

<ruby>私<rt>わたし</rt></ruby>は<ruby>一週間<rt>いっしゅうかん</rt></ruby>に＿＿＿＿＿＿＿＿＿＿＿＿＿＿＿＿＿＿＿＿＿＿＿＿＿。

<ruby>私<rt>わたし</rt></ruby>は＿＿＿＿＿＿＿＿＿＿＿＿＿＿＿＿＿＿＿＿＿＿＿＿＿＿＿＿＿＿＿＿＿＿＿。

＿＿＿＿＿＿＿さんは＿＿＿＿＿＿＿＿＿＿＿＿＿＿＿＿＿＿＿＿＿＿＿。

＿＿＿＿＿＿＿さんは＿＿＿＿＿＿＿＿＿＿＿＿＿＿＿＿＿＿＿＿＿＿＿。

<ruby>練習<rt>れんしゅう</rt></ruby> 6　<ruby>第5課<rt>だいごか</rt></ruby>（2）の<ruby>練習<rt>れんしゅう</rt></ruby>1を<ruby>見<rt>み</rt></ruby>て、 <ruby>前<rt>まえ</rt></ruby>の<ruby>文型<rt>ぶんけい</rt></ruby>を<ruby>使<rt>つか</rt></ruby>いなさい。	*Utiliza las estructuras anteriores* *mirando el ejercicio 1 de la lección 5 (2)*

　　　A：よくパーティーに<ruby>行<rt>い</rt></ruby>きますか。
　　　B：はい、よく<ruby>行<rt>い</rt></ruby>きますよ。<ruby>1週間<rt>いっしゅうかん</rt></ruby>に<ruby>1度<rt>いちど</rt></ruby>ぐらい<ruby>行<rt>い</rt></ruby>きます。

練習7 質問と答えを作りなさい。	Haz la pregunta y la respuesta

1週間に	1ヶ月に	何年	何ヶ月	何週間
何日（間）	何時間	何分	よく	あまり

日本語を勉強する

スポーツをする

ハイキングに行く

芝居を見る

手紙を書く

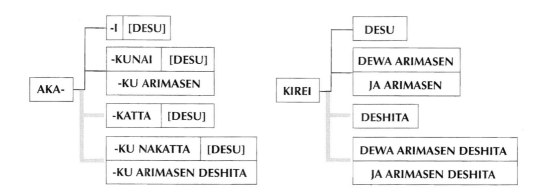

① この辺は最近はうるさいですが、前は大変静かでした。

② A：夕べのパーティーはどうでしたか。

　　B：とても楽しかったです。

③ A：日本語のテストはどうでしたか。

　　B：そうですね。ちょっと難しかったです。

④ A：先週山へ行きました。

　　B：ああ、そうですか。天気はどうでしたか。

　　A：あまり良くなかったです。／あまりいい天気ではありませんでした。

　　　でも、涼しくてよかったです。

⑤ A：先週の日曜日に映画を見ました。

　　B：どうでしたか。

　　A：長くてつまらなかったです。／長くてつまらない映画でした。

⑥ A：ジョンさん、京都はどんな天気でしたか。

　　B：とてもいい天気でした。／とても良かったです。

練習 8　第 3 課の練習 1 と練習 1（2）の絵を見て形容詞の過去形を練習しなさい。	*Practica el tiempo pasado de los adjetivos mirando los dibujos de los ejercicios 1 y 1(2) de la lección 3*

　　　A：この鉛筆は長かったですか

　　　B：いいえ、長くなかったです　／長くありませんでした。

練習9　次の言葉を使って、旅行の話をしなさい。	*Habla sobre un viaje utilizando las siguientes palabras*

例　　　　　　　　　　　EJEMPLO

マイアミ

A：夏休みにどこかへ行きましたか。

B：はい、マイアミへ行きました。

飛行機：１２時間

A：マイアミまで何時間ぐらいかかりますか。

B：飛行機で１２時間ぐらいです。

１週間

A：マイアミにどのぐらいいましたか。

B：１週間いました。

楽しい

A：旅行はどうでしたか。

B：とても楽しかったです。

海

A：マイアミで何をしましたか。

B：海で泳ぎました。。

食べ物：おいしい／高い

A：食べ物はどうでしたか。

B：おいしかったですが、少し高かったです。

天気：いい

A：天気はどうでしたか。

B：とても良かったです。

パリ	ローマ	ロンドン
飛行機	電車	飛行機
２時間	12時間	２時間ぐらい
３日（間）	１週間	３ヶ月
いい	楽しい	いい
見物・買物	見物・芝居	英語の勉強
おいしい／高い	おいしい／高い	あまりおいしくない
いい天気	いい天気	悪い天気

練習 10	クラスメートに去年の夏休みにどこへ行ったか聞きなさい。そして、その旅行について作文を書きなさい。	Pregunta a tu compañero adónde fue el verano pasado y escribe una redacción sobre su viaje

_____

_____

_____

_____

_____

_____

メモ	Memo	Apuntes
何か	nanika	*algo*
何も	nani mo	*nada*
どこかへ	dokoka e	*a algún sitio*
どこへも	doko e mo	*a ningún sitio*
どこかに	dokoka ni	*en algún sitio*
どこにも	doko ni mo	*en ningún sitio*
どこかから	dokoka kara	*desde algún sitio*
どこからも	doko kara mo	*desde ninguna parte*
誰か	dareka	*alguien*
誰も	dare mo	*nadie*
誰かに	dareka ni	*a alguien*
誰にも	dare ni mo	*a nadie*
誰かと	dareka to	*con alguien*
誰とも	dare to mo	*con nadie* → 一人で (hitori de) *solo/a*
誰かから	dareka kara	*de (parte de) alguien*
誰からも	dare kara mo	*de (parte de) nadie*

語彙	Goi	Vocabulario
海	umi	*mar, playa*
お土産	o-miyage	*recuerdo, regalo*
銀行	ginkoo	*banco (edificio)*
ぐらい	gurai	*aproximadamente (cantidades)*
コンサート	konsaato	*concierto*
芝居	shibai	*teatro*
宿題	shukudai	*los deberes*
食堂	shokudoo	*comedor (casa, empresa, escuela)*
新幹線	shinkansen	*el tren bala*
ずっと	zutto	*muy, mucho / continuamente*
食べ物	tabemono	*comida, alimento*
ちょうど	choodo	*justo, justamente / (hora) en punto*
ディスコ	disuko	*discoteca*
テスト	tesuto	*examen*
天気	tenki	*tiempo atmosférico*
夏休み	natsu-yasumi	*vacaciones de verano*
飛行機	hikooki	*avión*
プール	puuru	*piscina*
船	fune	*barco*
ベルリン	Berurin	*Berlín*
ホテル	hoteru	*hotel*
よかったら	yokattara	*si quiere/s, si le/s va bien*
旅館	ryokan	*hostal, fonda*
旅行	ryokoo	*viaje*
ロック	rokku	*rock*
和食	washoku	*cocina japonesa*

動詞	Dooshi	Verbos	
お風呂に入る	o-furo ni hairu	(Grupo I)	*bañarse*
買い物に行く	kaimono ni iku	(Grupo I)	*ir de compras*
見物する	kenbutsu suru	(Grupo III)	*visitar, ver*
テニスをする	tenisu o suru	(Grupo III)	*jugar al tenis*
ハイキングに行く	haikingu ni iku	(Grupo I)	*ir de excursión*

会話に出る動詞	Kaiwa ni deru dooshi	*Verbos (conjugados) que salen en la conversación*

僕がよく泊まった旅館　　boku ga yoku tomatta ryokan:　　*el ryokan donde solía alojarme.*

第7課 パート1 私は文法が きらいです。	Dai-nana-ka Paato 1 Watashi wa bunpoo ga kirai desu.	Lección 7 Parte 1 Detesto la gramática.

会話1

リー： 　今日の文法のクラスはつまらなかったですね。
　　　　私は日本語を話すのは好きですが、文法の勉強をするのはきらい

　　　　です。ジョンさんは。

ジョン： 僕は会話も文法も好きですよ。だって、リーさん、文法はとても
　　　　大切ですよ。リーさんは日本語を上手に話したいでしょう。正しく
　　　　話すために文法は絶対必要ですよ。

リー： 　私は文法の先生がきらいです。あの先生、全然ユーモアがない

　　　　でしょう。それにすぐ怒るでしょう。私はあの先生が恐いです。

ジョン： そうですか。ところで、来週の月曜日に文法のテストがありますね。

リー： 　わあ、私は文法は全然分かりません。だから、頭が痛いです。
　　　　いい文法の本が欲しいですよ。ジョンさん、いい本を知っていますか。

ジョン： ええ。

文型1

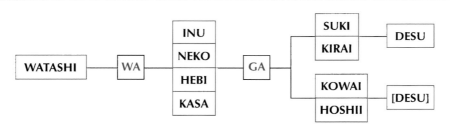

① A：リーさんは猫が好きですか。
　 B：いいえ、（猫は）あまり好きではありません。

② A：エリザベスさんは映画が好きですか。
　 B：はい、とても好きです。／はい、大好きです。
　 A：どんな映画が好きですか。
　 B：アクション映画が好きです。
　 A：好きな俳優は誰ですか。
　 B：ショーン・コネリーとジュリア・ロバーツです。

③ 誕生日のプレゼントに、洋服が欲しかったんですが、本をもらいました。
④ 私は頭がとても痛いですから、今晩、勉強をしません。

練習1　絵を見て、練習しなさい。	*Practica mirando los dibujos*

> 私は **A** が欲しかったんですが、**B** を もらいました。

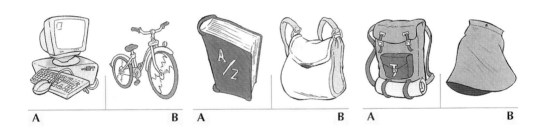

KYOO		GAKUSEI	GA	OOI	DESU
				SUKUNAI	

HON	WA	IS-SATSU	SHIKA	ARIMASEN	→ SUKUNAI
SARA		NI-MAI			
BIIRU	WA	HAP-PON	MO	ARIMASU	→ OOI

れんしゅう　　え　み　れんしゅう
練習2　絵を見て、練習しなさい。　　　　　　*Practica mirando los dibujos*

ほん
A：本がたくさんありますか。
いっさつ
B：いいえ、1冊しかありません。

ほん　　はっさつ
A：本は8冊ありますか。
いっさつ
B：いいえ、1冊しかありません。

練習3　次の言葉を使って、練習しなさい。	Practica utilizando las siguientes palabras

> A：鉛筆を何本買いましたか。
> B：8本（も）

A：バナナをたくさん食べましたか。
B：いいえ、2本しか食べませんでした。

鉛筆　　8　　買う

A：＿＿＿＿＿＿＿＿＿＿＿＿＿＿＿。

B：＿＿＿＿＿＿＿＿＿＿＿＿＿＿＿。

コップ　　10　　洗う

A：＿＿＿＿＿＿＿＿＿＿＿＿＿＿＿。

B：＿＿＿＿＿＿＿＿＿＿＿＿＿＿＿。

皿　　8　　割る

A：＿＿＿＿＿＿＿＿＿＿＿＿＿＿＿。

B：＿＿＿＿＿＿＿＿＿＿＿＿＿＿＿。

ビール　　1　　飲む

A：＿＿＿＿＿＿＿＿＿＿＿＿＿＿＿。

B：＿＿＿＿＿＿＿＿＿＿＿＿＿＿＿。

セーター　　3　　洗う

A：＿＿＿＿＿＿＿＿＿＿＿＿＿＿＿。

B：＿＿＿＿＿＿＿＿＿＿＿＿＿＿＿。

切手　　16　　買う

A：＿＿＿＿＿＿＿＿＿＿＿＿＿＿＿。

B：＿＿＿＿＿＿＿＿＿＿＿＿＿＿＿。

CD　　3　　聞く

A：＿＿＿＿＿＿＿＿＿＿＿＿＿＿＿。

B：＿＿＿＿＿＿＿＿＿＿＿＿＿＿＿。

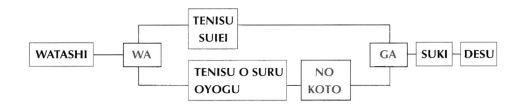

① 松本さんは買物をするのが大好きです。／買物が大好きです。

② 私は早く起きるのがきらいです。

練習4　絵を見て、練習しなさい。	*Practica mirando los dibujos*

{ A：猫が好きですか。
　B：はい、猫が大好きです。

{ A：泳ぐのが好きですか。
　B：いいえ、泳ぐのはあまり好きではありません。

かいわ
会話2

キム： ハイメさん、今度の土曜日、クラスの人と歌舞伎に行きますか。

ハイメ： 僕は一度テレビで歌舞伎を見ました。とてもすばらしかったです。
ぜひ行きたいです。そして、玉三郎の女形が見たいです。
キムさんはどうですか。

キム： 私は見たくないです。私は伝統芸術はあまり好きじゃありません。
そのかわり、日本のロックのコンサートが聞きたいです。

ハイメ： 日本の伝統芸術はすばらしいですよ。僕はもっと知りたいです。
キムさんは日本の古い芸術が好きですか。

キム： いいえ、私は古いものは好きじゃありません。私は早く日本語を
覚えたいです。そして、日本の会社に就職したいです。

ぶんけい
文型1

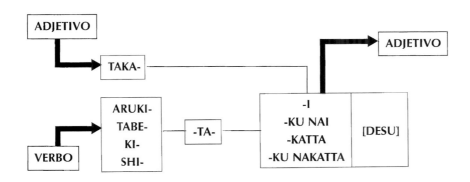

① 私は赤いセーター（を／が）買いたいです。
（わたし あか）　　　　　　　　　　　（か）
② 私はプールで泳ぎたいです。
（わたし）　　　　（およ）
③ 私は静かな所で音楽を聞きたいです。
（わたし しず ところ おんがく き）
④ 私はあの公園を散歩したいです。
（わたし こうえん さんぽ）

練習1　絵を見て、練習しなさい。	*Practica mirando los dibujos*

A：何<small>なに</small>がしたいですか。
B：テニスがしたいです。

A：テニスがしたいですか。
B：いいえ、したくないです。

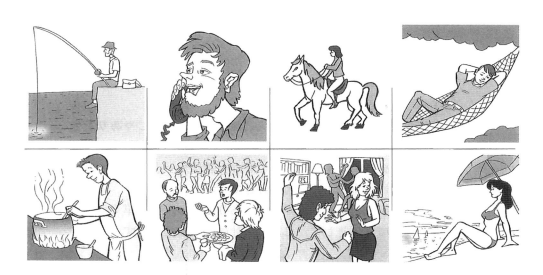

練習2　絵を見て、練習しなさい。	*Practica mirando los dibujos*

A：何<small>なに</small>をするのが好<small>す</small>きですか。
B：本<small>ほん</small>を読<small>よ</small>むのが好<small>す</small>きです。

それから、メモにある語彙を使って会話を続けなさい。	*Continúa la conversación utilizando las palabras que salen en memo*

A：何をするのが好きですか。
B：スポーツをするのがきです。

→

A：どんなスポーツが好きですか。
B：テニスが好きです。

↓

A：よくテニスをしますか。
B：ええ、1週間に2度ぐらいします。

←

A：誰としますか。
B：友達の尾崎さんとします。

どこで？　？　何曜日

スポーツ

好きな俳優

映画

好きな本

音楽

好きな監督

好きなバンド

好きなサッカーチーム

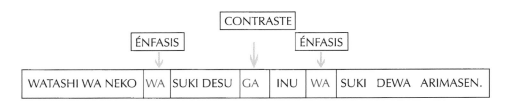

① 私は海では泳ぎたいですが、プールでは泳ぎたくないです。

② 私は映画には行きたいですが、芝居には行きたくありません。

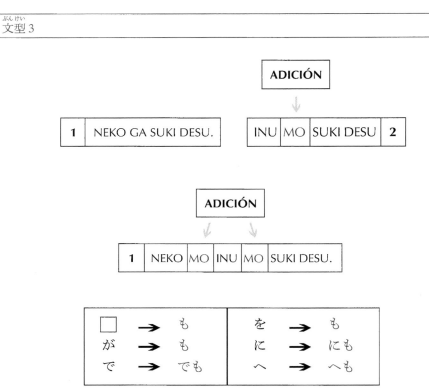

① 私は映画に行きたいです。芝居にも行きたいです。

② 私は映画にも芝居にも行きたいです。

③ 私は山も海も好きです。

④ 今朝、郵便局へ行きました。デパートへも行きました。

⑤ 土曜日の朝、掃除をします。買物もします。

私は猫が好きです。（私は）犬も好きです。

私は猫は好きですが、犬は好きではありません。

私は猫も犬も好きです。

文型4

CAUSA / RAZÓN	**KARA,**	CONSECUENCIA
寒かったです 寒かったです。	から、 だから、	窓を閉めました。 窓を閉めました。

① 私はとても疲れましたから、すぐ寝ます。
② 私はとても疲れました。だから、すぐ寝ます。

練習4　つなぎなさい。	Une

おなかが痛いですから、	きらいです。
猫がきらいですから、	広い家に引っ越したいです。
とても暑いですから、	水が飲みたいです。
おなかがすきましたから、	何も買いません。
蛇が恐いですから、	家へ帰りたいです。
お金がありませんから、	猫は飼いたくないです。
のどがかわきましたから、	何も食べたくないです。
私の家は狭いですから、	プールで泳ぎたいです。
パーティーはつまらないですから、	ご飯を食べたいです。

結果を書きなさい。	Escribe la consecuencia

とても暑かったですから、＿＿＿＿＿＿＿＿＿＿＿＿＿＿＿＿＿＿＿＿＿＿＿。

来週から日本語を勉強しますから、＿＿＿＿＿＿＿＿＿＿＿＿＿＿＿＿＿。

私の車は古いですから、＿＿＿＿＿＿＿＿＿＿＿＿＿＿＿＿＿＿＿＿＿。

私は肉がきらいですから、＿＿＿＿＿＿＿＿＿＿＿＿＿＿＿＿＿＿＿＿。

私は熱がありますから、＿＿＿＿＿＿＿＿＿＿＿＿＿＿＿＿＿＿＿＿＿。

メモ	Memo	Apuntes

スポーツ	Supootsu	Deportes
アメリカンフットボール	amerikan futtobooru	fútbol americano
エアロビクス	earobikusu	aerobic
クリケット	kuriketto	criquet
ゴルフ	gorufu	golf
サイクリング	saikuringu	ciclismo
サッカー	sakkaa	fútbol
ジョギング	jogingu	jogging
水泳	suiei	natación
スキー	sukii	esquí
スケート	sukeeto	patinaje
体操	taisoo	gimnasia
テニス	tenisu	tenis
バレーボール	bareebooru	voleibol
バスケットボール	basukettobooru	baloncesto
ピンポン	pinpon	ping-pong
野球	yakyuu	béisbol
ラグビー	ragubii	rugby
スポーツ選手	supootsu senshu	deportista
チーム	chiimu	equipo

音楽	Ongaku	Música
オペラ	opera	ópera
カントリー	kantorii	country
クラシック(音楽)	kurashikku (ongaku)	música clásica
サルサ	sarusa	salsa
ジャズ	jazu	jazz
タンゴ	tango	tango
バラード	baraado	balada
フラメンコ	furamenko	flamenco
ポップミュージック	poppu myuujikku	música pop
ボレロ	borero	bolero
ロック	rokku	rock
音楽家	ongakuka	músico
バンド	bando	conjunto musical

映画	Eiga	Cine
アクション映画	akushon eiga	*películas de acción*
アニメ映画	anime eiga	*dibujos animados*
コメディー	komedii	*comedia*
スリラー	suriraa	*películas de suspense*
ホラー	horaa	*películas de terror*
ミュージカル	myuujikaru	*películas musicales*
メロドラマ	merodorama	*melodramas*
ウェスタン	wesutan	*western*
映画スター	eiga sutaa	*estrella de cine*
監督	kantoku	*director de cine*
女優	joyuu	*actriz*
俳優	haiyuu	*actor*

読書	Dokusho	Lectura
ＳＦ小説	esu-efu shoosetsu	*novelas de ciencia ficción*
詩	shi	*poesía*
芝居	shibai	*teatro*
小説	shoosetsu	*novela*
随筆	zuihitsu	*ensayo*
推理小説	suiri shoosetsu	*novelas policiacas*
冒険小説	booken shoosetsu	*novelas de aventuras*
漫画	manga	*cómic*

～の本	～ no hon	Libros de ～
映画の本	eiga no hon	*libros de cine*
経済の本	keizai no hon	*libros de economía*
建築の本	kenchiku no hon	*libros de arquitectura*
社会学の本	shakaigaku no hon	*libros de sociología*
数学の本	suugaku no hon	*libros de matemáticas*
政治の本	seiji no hon	*libros de política*
哲学の本	tetsugaku no hon	*libros de filosofía*
美術の本	bijutsu no hon	*libros de arte*
歴史の本	rekishi no hon	*libros de historia*
作家	sakka	*escritor*
小説家	shoosetsuka	*novelista*
著者	chosha	*autor*

語彙	Goi	Vocabulario
秋	aki	*otoño*
頭	atama	*cabeza*
いちご	ichigo	*fresa*
イヤリング	iyaringu	*pendientes*
おなか	onaka	*barriga*
おなかがすきました	onaka ga sukimashita	*tener hambre*
会話	kaiwa	*conversación*
歌舞伎	kabuki	*teatro tradicional japonés*
果物	kudamono	*fruta*
クラス	kurasu	*clase*
芸術	geijutsu	*arte*
コンピューター	konpyuutaa	*ordenador*
魚	sakana	*pez, pescado*
～しか	~shika	*no más que~ verbo negativo*
芝居	shibai	*teatro*
上手に	joozu-ni	*bien, hábilmente*
スカート	sukaato	*falda*
すぐ	sugu	*enseguida*
そのかわり	sonokawari	*en vez de~, a cambio*
正しく	tadashiku	*correctamente*
ために	tameni	*para*
伝統芸術	dentoo-geijutsu	*artes tradicionales*
ところで	tokorode	*a propósito*
夏	natsu	*verano*
肉	niku	*carne*
熱	netsu	*fiebre*
ニュース	nyuusu	*noticias*
ネックレス	nekkuresu	*collar*
のど	nodo	*garganta*
のどがかわきました	nodo ga kawakimashita	*tener sed*
春	haru	*primavera*
封筒	fuutoo	*sobre*
冬	fuyu	*invierno*
プレゼント	purezento	*regalo*
文法	bunpoo	*gramática*
蛇	hebi	*serpiente*

| ユーモア | yuumoa | | humor |
| 洋服 | yoofuku | | vestido de tipo occidental |

動詞	Dooshi		Verbos
編む（セーターを）	amu (seetaa o)	I	tejer, hacer punto
生ける（花を）	ikeru (hana o)	II	hacer un arreglo floral
怒る	okoru	I	enfadarse
踊る	odoru	I	bailar
飼う（動物を）	kau (doobutsu o)	I	tener/ criar animales
描く（絵を）	kaku (e o)	I	pintar, dibujar
就職する	shuushoku suru	III	entrar en una empresa
疲れる	tsukareru	II	cansarse
つる（魚を）	tsuru (sakana o)	I	pescar
ひく（ピアノを）	hiku (piano o)	I	tocar el piano
引っ越す	hikkosu	I	mudarse
割る	waru	I	romper, quebrar

形容詞	Keiyooshi	Adjetivos
痛い	itai	doler (adj. ~i)
多い	ooi	ser abundante (adj. ~i)
嫌い（な）	kirai (na)	detestar (adj. ~na)
恐い	kowai	tener miedo (adj. ~i)
好き（な）	suki (na)	gustar (adj. ~na)
少ない	sukunai	ser escaso (adj. ~i)
素晴らしい	subarashii	maravilloso (adj. ~i)
絶対必要（な）	zettai-hitsuyoo (na)	imprescindible (adj. ~na)
～たい	~tai	querer + infinitivo (adj. ~i)
大好き（な）	daisuki (na)	encantar (adj. ~na)
大切（な）	taisetsu (na)	importante (adj. ~na)
必要（な）	hitsuyoo (na)	necesario (adj. ~na)
欲しい	hoshii	querer + substantivo (adj. ~i)

会話に出る動詞	Kaiwa ni deru dooshi	Verbos (conjugados) que salen en la conversación
知っていますか	shitte imasu ka	¿Sabe/ conoce, etc.?
でしょう	deshoo	(verbo auxiliar) Indica probabilidad
ない	nai	ありません (arimasen)

第8課 パート1 キムさんは部屋で 本を読んでいます。	Dai-hachi-ka Paato 1 Kimu-san wa heya de hon o yonde imasu.	*Lección 8 Parte 1 Kim está leyendo un libro en la habitación.*

会話1

ジョン：　マリアさん、何をしていましたか。

マリア：　宿題の作文を書いていました。

ジョン：　今日、尾崎さんと上田さんと松本さんに会って、浅草へ行きます。
　　　　　マリアさんも一緒に行きませんか。

マリア：　私は先週マリさんとリーさんと一緒に行きました。

ジョン：　浅草はどうでしたか。

マリア：　とてもよかったですよ。浅草の仲店やお寺を見て、その近くを散歩
　　　　　しました。下町の雰囲気はいいですよ。もう一度行きたいですが、
　　　　　今日は洗濯をして、アイロンをかけます。だから、残念ですが…。

ジョン：　そうですか。誰か一緒に行きませんか。

マリア：　キムさんが行きますよ。彼女はまだ浅草を知りませんから。

ジョン：　キムさんは今どこですか。

マリア：　たぶん部屋で本を読んでいますよ。

文型1

FORMA -TE

テ形グループ1		
歩く　[く] ──────▶ ～いて ──────▶ あるいて＊
泳ぐ　[ぐ] ──────▶ ～いで ──────▶ およいで
話す　[す] ──────▶ ～して ──────▶ はなして
読む　[む] ──────▶ ～んで ──────▶ よんで
死ぬ　[ぬ] ──────▶ ～んで ──────▶ しんで
遊ぶ　[ぶ] ──────▶ ～んで ──────▶ あそんで
買う　[う] ──────▶ ～って ──────▶ かって
待つ　[つ] ──────▶ ～って ──────▶ まって
帰る　[る] ──────▶ ～って ──────▶ かえって

注：Hay una única excepción「行く ➡ いって」

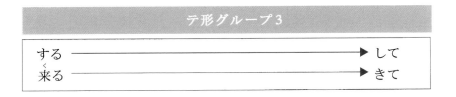

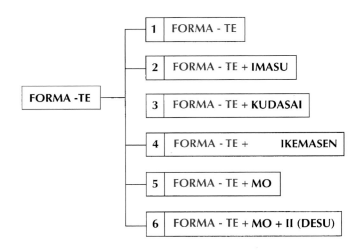

① 今朝、7時半に起きて、朝ご飯を食べて、学校へ行きました。

② 尾崎さんは今、新聞を読んでいます。

③ すみませんが、窓を開けてください。

④ 図書館で大きい声で話してはいけません。

⑤ 水が冷たくても、海で泳ぎます。

⑥ たばこを吸ってもいいですか。

れんしゅう練習1 　だいろっか第6課のれんしゅう練習4のえ絵をつか使って、 てけいテ形のれんしゅう練習をしなさい。	*Practica la forma -TE con los dibujos* *del ejercicio 4 de la lección 6*

うえ だ上田さんは6ろく じ時にお起きて、プールでおよ泳ぎました。

ぶんけい文型3

① ジョルジオさんはゆう夕べえいが映画をみ見て、ばんごはん晩御飯をた食べました。
② うえ だ上田さんはまいにちしち じ毎日7時にお起きて、プールでおよ泳ぎます。
③ よし だ吉田さんはしろ白いブラウスをき着て、ピンクいろ色のスカートをはいています。

れんしゅう練習2 　れい例のようにい言いなさい。	*Practica siguiendo los ejemplos*

わたし私はいえ家へかえ帰りました。それから、しんぶん新聞をよ読みました。

わたし私はいえ家へかえ帰って、しんぶん新聞をよ読みました。

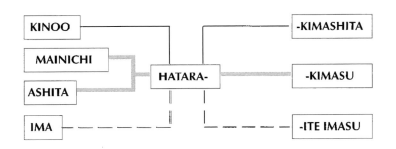

① 上田さんは今紅茶を飲んでいます。
② マックスさんは音楽を聞いています。
＊① 尾崎さんはマリアさんの隣に座っています。
＊② ジョンさんはとても疲れています。

練習3　何をしているか説明しなさい。	*Explica qué están haciendo*

A：田中さんは何をしていますか。
B：田中さんはテレビを見ています。

会話1

（浅草で）

ジョン： たくさん店がならんでいますね。何を売っていますか。

上田： おみやげを売っています。ジョンさん、何か買いますか。

ジョン： そうですね。まず、店を見て、決めます。

（少し後で）

尾崎： あれ、上田さん、ジョンさんがいませんよ。

上田： ジョンさんはあの店の前で何か見ていますよ。ジョンさんは背が高いですから、よく目立ちますね。

尾崎： キムさんはどこですか。

上田： あそこです。あそこに座っていますよ。どうしたんでしょう。

尾崎： キムさん、どうしたんですか。

キム： もう2時間もいろいろ見て歩きましたから、少し疲れました。それにのどがかわきました。

尾崎： そうですか。疲れているんですか。僕も少しのどがかわいています。どこか喫茶店で何か飲んで少し休みましょう。

文型1

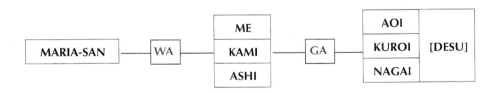

① 私の部屋は窓が大きいです。
② 松本さんは背が高いです。
③ この上着はポケットが小さいです。

文型2

① 私はとても疲れていますから、少し休みたいです。
② 会議がもう始まっていますから、外で待ちましょう。

練習1　クラスの描写。	Descripción de la clase

① 　Aさんは Bさんのとなりに座っています。

② 　Cさんはノートに＿＿＿＿＿＿＿＿＿＿＿＿＿＿＿＿＿＿＿＿＿。

③ 　＿＿＿＿＿＿＿＿＿＿＿＿＿＿＿＿＿＿＿＿＿たっています。

④ 　＿＿＿＿＿＿＿＿＿＿＿＿＿＿＿＿＿＿＿＿＿＿＿＿＿。

⑤ 　＿＿＿＿＿＿＿＿＿＿＿＿＿＿＿＿＿＿＿＿＿＿＿＿＿。

⑥ 　＿＿＿＿＿＿＿＿＿＿＿＿＿＿＿＿＿＿＿＿＿＿＿＿＿。

練習2　つなぎなさい。	Une

田中さんは部屋の真中に	座っています。
吉田さんはシャツを	はいています。
マリアさんはソファーに	乗っています。
上田さんはハイヒールを	消えています。
電気が	着ています。
ジョンさんはもう電車に	すいています。
火事はもう	立っています。
ジョンさんは日本に	ついています。
道路は	行っています。

A：マリアさんはジーンズをはいていますか。

B：いいえ、ジーンズははいていません。スカートを はいています。

尾崎さんは青いスーツを着て、黒い靴をはいています。

| 今度は、過去形にしなさい。 | Y ahora utiliza el tiempo pasado |

A：きのう、ジョンさんは何を着ていましたか。

B：白いシャツを着ていました。

A：上着も着ていましたか。

B：はい、上着も着ていました。

A：今日も上着を着ていますか。

B：いいえ、今日は着ていません。

| 練習4 | どんな人か説明しなさい。 | Descríbelos |

A：メアリーさんはどんな人ですか。
B：メアリーさんは若くて、背が高いです。金髪で、目が青いです。
　　めがねをかけて、ワンピースを着て、サンダルを履いています。

| 練習5 | クラスメートの様子を説明しなさい。 | Describe a tus compañeros |

Aさんは20歳ぐらいで、背が低いです。髪が黒くて短いです。

Bさんは緑色のシャツを着て、ジーンズをはいています。

| メモ | Memo | Apuntes |

Descripción física de personas

髪が（黒い・長い…）	kami ga (kuroi / nagai...)	tener el pelo (negro / largo...)
きれい（な）	kirei (na)	ser bonita, guapa
スタイルがいい	sutairu ga ii	tener buen tipo
スマート（な）	sumaato (na)	ser esbelto, elegante
背が（高い・低い）	se ga (takai / hikui)	ser (alto / bajo) de estatura
鼻が（高い・低い…）	hana ga (takai / hikui)	tener la nariz (prominente / chata)
ハンサム（な）	hansamu (na)	ser un hombre guapo

美人	bijin		*ser una belleza*
太っています（太る）	futotte imasu (futoru)		*estar gordo (engordar)*
目が（青い・黒い…）	me ga (aoi / kuroi)		*tener los ojos (azules / negros…)*
目が（細い・大きい）	me ga (hosoi / ookii)		*tener los ojos (rasgados / grandes…)*
やせています（やせる）	yasete imasu (yaseru)		*estar delgado (adelgazar)*

覚える	aprender	おぼえている	acordarse de algo
被る	cubrirse	かぶっている	llevar puesto en la cabeza
消える	apagarse	きえている	estar apagado
着る	ponerse	きている	llevar puesto
結婚する	casarse	けっこんしている	estar casado
知る	enterarse	しっている	saber
座る	sentarse	すわっている	estar sentado
立つ	ponerse en pie	たっている	estar de pie
疲れる	cansarse	つかれている	estar cansado
寝る	acostarse,dormir	ねている	estar acostado,dormido
履く	calzarse	はいている	llevar (pantalones, zapatos...)
太る	engordar	ふとっている	estar gordo
痩せる	adelgazar	やせている	estar delgado
忘れる	olvidar	わすれている	haber olvidado

注：La forma 「～ている」 es la informal de 「～ています」

かける（II）	kakeru	
めがねをかける	megane o kakeru	*ponerse las gafas*
サングラスをかけています	sangurasu o kakete imasu	*llevar gafas de sol*
被る（I）	kaburu	*llevar puesto en la cabeza*
帽子をかぶる	booshi o kaburu	*ponerse un sombrero*
帽子を被っています	booshi o kabutte imasu	*llevar sombrero o gorra*
着る（II）	kiru	*ponerse*
（を）着ています	(o) kite iru	*llevar~*
上着	uwagi (o)	*chaqueta, americana*

着物	kimono (o)	*quimono*
シャツ	shatsu (o)	*camisa*
ジャンパー	janpaa (o)	*cazadora*
スーツ	suutsu (o)	*traje*
Tシャツ	tii shatsu (o)	*camiseta*
ブラウス	burausu (o)	*blusa*
ワンピース	wanpiisu (o)	*vestido*

する（III）	suru	*ponerse (accesorios…)*
（を）しています	(o) shite imasu	*llevar~*

イヤリング	iyaringu (o)	*pendientes*
スカーフ	sukaafu (o)	*foulard*
手袋	tebukuro (o)	*guantes*
ネクタイ	nekutai (o)	*corbata*
ネックレス	nekkuresu (o)	*collar*
ベルト	beruto (o)	*cinturón*
マフラー	mafuraa (o)	*bufanda*

履く（I）	haku	*calzarse, ponerse*
（を）はいています	(o) haite imasu	*llevar (pies, etc.)*

靴	kutsu (o)	*zapatos*
靴下	kutsushita (o)	*calcetines*
サンダル	sandaru (o)	*sandalias*
ジーンズ	jiinzu (o)	*pantalones tejanos*
スカート	sukaato (o)	*falda*
スニーカー	suniikaa (o)	*zapatillas de deporte*
ズボン	zubon (o)	*pantalones*
スリッパ	surippa (o)	*zapatillas*
草履	zoori (o)	*zoori (sandalias de paja)*
ソックス	sokkusu (o)	*calcetines*

語彙	Goi	Vocabulario
あし	ashi	*pie, pierna*
大きい声で	ookii koe de	*en voz alta*
会議	kaigi	*reunión*
火事	kaji	*incendio*
髪（の毛）	kami (no ke)	*cabello*

残念です	zannen desu		*es una pena*
小さい声で	chiisai koe de		*en voz baja*
昼食	chuushoku		*almuerzo*
朝食	chooshoku		*desayuno*
道路	dooro		*carretera*
ハイヒール	haihiiru		*zapatos de tacón*
幅	haba		*anchura*
ポケット	poketto		*bolsillo*
目	me		*ojo*
夕食	yuushoku		*cena*
若い	wakai		*joven (adj)*

動詞	Dooshi		Verbos
決める	kimeru	II	*decidir*
ならぶ	narabu	I	*ponerse/estar en fila, alineado*
目立つ	medatsu	I	*llamar la atención*

会話に出る動詞	Kaiwa ni deru dooshi	Verbos (conjugados) que salen en la conversación
どうしたんでしょう	dooshita-n-deshoo	*¿Qué le habrá pasado?* *¿Qué le pasará?*
どうしたんですか	dooshita-n-desu ka	*¿Qué te/le pasa?*
疲れているんですか	tsukarete iru-n-desu ka	*¿Es que estás cansada?* *¡Ah, estás cansada!*

9

第9課	Dai-kyuu-ka	Lección 9
パート1	Paato 1	Parte 1
すみませんが、	Sumimasen ga,	Míralo, por favor.
見てください。	mite kudasai.	

会話1

（学生会館のロビーで）

ジョルジオ： リーさん、今、売店で何を買っていましたか。

リー： 東京をよく知りたいので、東京のガイドブックを買っていました。

ジョルジオ： あのう、僕は今度江戸東京博物館へ行きたいんですが、どう行けばいいかそのガイドブックに出ていますか。

リー： 今見ます。ちょっと待ってください。ええと、まず、新中野駅で地下鉄に乗って、新宿まで行きます。新宿でJR線に乗り換えて、両国駅で降ります。江戸東京博物館は駅の近くです。

ジョルジオ： 分かりました。

マックス： リーさん、神田へはどう行けばいいですか。すみませんが、見てください。古本屋へ行きたいんです。

リー： ええと、神田へは…、新中野から地下鉄で大手町駅まで行って、地下鉄を乗り換えます。

マックス： 何線に乗り換えますか。

リー： 半蔵門線に乗り換えて、神保町で降ります。

マックス： どうもありがとう。

文型1

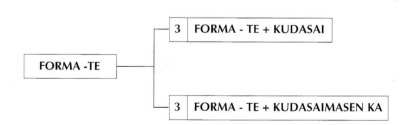

① A：すみませんが、このかばんを持ってくださいませんか。

　　B：はい、わかりました。

② A：すみませんが、窓を閉めてください。

　　B：ええ、いいですよ。

③ 三鷹駅で中央線に乗って、新宿駅で降りてください。

126

A：すみませんが、弁当を温めてください。

B：はい、わかりました。

すみませんが、道を教えてくださいませんか。

練習2　次の言葉を使って、クラスメートに　　| *Usa las siguientes palabras para pedir a tus*
色々なことを頼みなさい。　　　　　　| *compañeros que realicen diferentes acciones*

まど　→　すみませんが、まどをしめてください。

ドア

つくえ

いす

こくばん

でんき

しゅくだい

かんじ

ほん

練習3　どうやって行くか聞きなさい。	*Pregunta cómo se va*

A：すみませんが、神田の古本屋へはどうやって行きますか。
B：古本屋ですか。そうですね。神保町駅です。まず…

① 新中野駅で地下鉄に乗ってください。　　そして…
② 大手町駅で半蔵門線に乗り換えてください。そして…
③ 神保町駅で地下鉄を降りてください。

日比谷公園 HIBIYA KOOEN	① 新中野 SHIN-NAKANO （丸の内線）(MARUNOUCHI-SEN)
	② なし （直接）
	③ 霞ヶ関 KASUMIGASEKI （丸の内線）(MARUNOUCHI-SEN)

歌舞伎座 KABUKI-ZA	① 新中野 SHIN-NAKANO （丸の内線）(MARUNOUCHI-SEN)
	② 銀座 GINZA （日比谷線）(HIBIYA-SEN)
	③ 東銀座 HIGASHI-GINZA （日比谷線）(HIBIYA-SEN)

紀伊国屋 KINOKUNIYA	① 新中野 SHIN-NAKANO （丸の内線）(MARUNOUCHI-SEN)
	② なし （直接）
	③ 新宿 SHINJUKU （丸の内線）(MARUNOUCHI-SEN)

それから、いろいろな駅へどうやって
行くかクラスメートと相談しなさい。

*Discute con tus compañeros cómo
ir a diferentes estaciones*

私は中野駅にいます。新中野駅へはどう行けばいいですか。

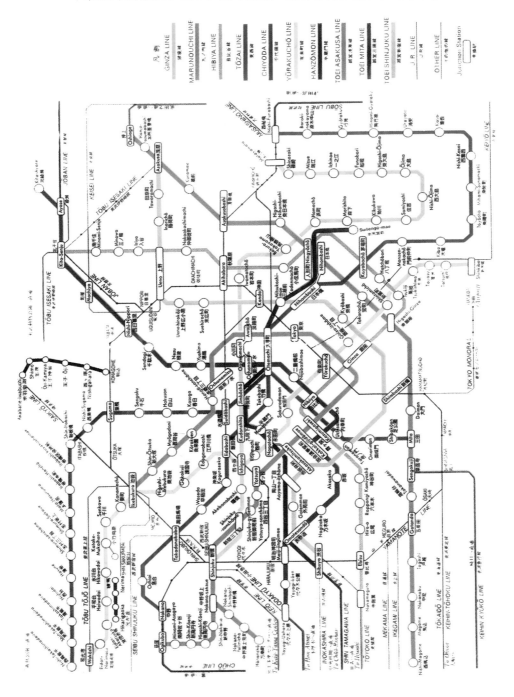

| FORMA -TE | ── | 4 | FORMA - TE + WA+ IKEMASEN |

① 試験中にクラスメートと話してはいけません。
② 試験中にとなりの人の答えを写してはいけません。
③ 人の悪口を言ってはいけません。

れんしゅう　　え　み　　れんしゅう
練習 4　絵を見て、練習しなさい。　　*Practica mirando los dibujos*

かみ　　　　す
紙くずを捨ててはいけません。

れんしゅう　　つぎ　ところ
練習 5　次の所でしてはいけないこと　　*Di cosas que no se puedan*
　　　　い
　　　　を言いなさい。　　　　　　　　*hacer en estos lugares*

① 美術館：＿＿＿＿＿＿＿＿＿＿＿＿＿＿＿＿＿＿＿＿＿＿＿＿＿＿＿＿＿。
② 教室：＿＿＿＿＿＿＿＿＿＿＿＿＿＿＿＿＿＿＿＿＿＿＿＿＿＿＿＿＿＿＿。
③ 地下鉄の中：＿＿＿＿＿＿＿＿＿＿＿＿＿＿＿＿＿＿＿＿＿＿＿＿＿＿＿。
④ 病院：＿＿＿＿＿＿＿＿＿＿＿＿＿＿＿＿＿＿＿＿＿＿＿＿＿＿＿＿＿＿＿。
⑤ 動物園：＿＿＿＿＿＿＿＿＿＿＿＿＿＿＿＿＿＿＿＿＿＿＿＿＿＿＿＿＿＿。

第9課 パート2 私もいっしょに 行ってもいいですか。	Dai-kyuu-ka Paato 2 Watashi mo isshoni ittemo ii desu ka.	Lección 9 Parte 2 ¿Puedo ir contigo?

会話2

マリア： ジョルジオさん、お出かけですか。

ジョルジオ： ええ、江戸東京博物館へ行きます。

マリア： えっ。本当ですか。私も一緒に行ってもいいですか。私は
前から江戸東京博物館を見たかったんです。

ジョルジオ： もちろんいいですよ。

マリア： じゃあ、ちょっと服を着がえてきてもいいですか。

ジョルジオ： ええ、ここで待っています。

（２０分後）

マリア： お待たせしました。カメラを持ってきましたが、博物館で
写真をとってもいいでしょうか。

ジョルジオ： 普通、博物館や美術館では写真をとってはいけないんですよ。

マリア： そうでしょうね。じゃあ、カタログか絵葉書でもいいです。

文型1

FORMA -TE ——— 5 FORMA - TE + MO

① 寒くても、遠足に行きます。

② A：チェスをしませんか。

　　B：下手でもかまいませんか。

③ いくら走っても、電車に遅れるでしょう。

文型2

FORMA -TE —— 6 FORMA - TE + MO —— YOROSHII DESU
KAMAIMASEN
II DESU —— [KA]

① A：ここに座ってもいいですか。

　　B：ええ、いいですよ。

② A：あのう、ちょっと暑いですが、まどを開けてもかまいませんか。

　　B：ええ、開けてください。

③ A：教室でたばこを吸ってもいいですか。

　　B：いいえ、吸ってはいけません。

④ A：すみませんが、辞書を借りてもよろしいですか。

　　B：どうぞ。

⑤ A：エアコンを強くしてもいいですか。

　　B：ええ、もちろんです。

⑥ A：車を借りてもいいですか。

　　B：あのう、車はちょっと…

⑦ A：この本を借りてもいいですか。

　　B：ええ、いいですよ。でも明日までに返してください。

練習1　絵を見て、練習しなさい。	Practica mirando los dibujos

{ A：あのう、このCDを聞いてもいいですか

　B：ええ、どうぞ。

{ A：すみませんが、音楽をかけてください。

　B：はい、わかりました。

練習2　例のように言いなさい。	Repite como en el ejemplo

RUEGO		CONDICIÓN
本を借りる	でも	水曜日までに返す

A：本を借りてもいいですか。
B：ええ、いいですよ。でも、水曜日までに返してください。

RUEGO	CONDICIÓN
① 車を借りる	でも　注意する
② 万年筆を使う	でも　大事に使う
③ あのシャツを着る	でも　後で洗う
④ 夜遊びに行く	でも　１１時までに帰る
⑤ _____	でも_____。
⑥ _____	でも_____。
⑦ _____	でも_____。

メモ	Memo	Apuntes

遊びに行く	asobini iku	I	ir a divertirse, ir a visitar~
音を大きくする	oto o ookiku suru	III	subir el volumen
音を小さくする	oto o chiisaku suru	III	bajar el volumen
音楽をかける	ongaku o kakeru	II	poner música
エアコンをつける	eakon o tsukeru	II	poner el aire acondicionado
エアコンを強くする	eakon o tsuyoku suru	III	poner más fuerte el a.a..
コピーをとる	kopii o toru	I	sacar fotocopias
ストーブを入れる	sutoobu o ireru	II	encender la estufa
手紙を出す	tegami o dasu	I	echar una carta al correo
花に水をやる	hana ni mizu o yaru	I	regar las plantas
悪口を言う	warukuchi o iu	I	hablar mal de alguien

語彙	Goi	Vocabulario

あみだな	amidana	rejilla de los trenes
絵葉書	e-hagaki	postal
ガイドブック	gaido-bukku	guía (libro)
カタログ	katarogu	catálogo
紙くず	kami-kuzu	trozo de papel, papel usado
黒板	kokuban	pizarra
試験	shiken	examen
試験中	shiken-chuu	durante el examen
大事に	daiji ni	con cuidado, con atención
直接	chokusetsu	directo
動物	doobutsu	animal
動物園	doobutsuen	parque zoológico
何線	nani-sen	qué línea
売店	baiten	puesto, tenderete, quiosco
博物館	hakubutsukan	museo
美術館	bijutsukan	museo de arte
古本屋	furuhon-ya	librería de viejo
弁当	bentoo	comida servida en una caja para llevar
～までに	~made ni	para (antes de) ~
真夜中	mayonaka	medianoche

万年筆	mannenhitsu	*pluma estilográfica*
もちろん	mochiron	*por supuesto, claro*
郵便	yuubin	*correo*
郵便局	yuubinkyoku	*Correos*

動詞	Dooshi		Verbos
温める	atatameru	II	*calentar*
写す	utsusu	I	*copiar*
遅れる	okureru	II	*llegar tarde*
着替える	kigaeru	II	*cambiarse de ropa*
騒ぐ	sawagu	I	*alborotar, hacer bullicio*
捨てる	suteru	II	*tirar (al suelo, a la basura, etc.)*
注意する	chuui suru	III	*prestar atención*
投げる	nageru	II	*lanzar con la mano*
乗り換える	norikaeru	II	*hacer transbordo*

表現	Hyoogen	*Frases hechas*
お出かけですか	o-dekake desu ka	*¿Sale?*
お待たせしました	o-matase-shimashita	*Siento haberle hecho esperar*
どうやって行きますか	doo yatte ikimasu ka	*¿Cómo se va?*

10

第10課	Dai-juk-ka	Lección 10
パート1	Paato 1	Parte 1
ニュースを見ながら、	Nyuusu o minagara	Desayuno mirando
朝ご飯を食べます。	asagohan o tabemasu.	las noticias.

マリアさんの作文

私の一日

私は毎朝7時に起きます。朝ご飯の前に、顔を洗って、歯を磨きます。それが終わってから、私は学生会館の食堂でテレビの朝のニュースを見ながら、朝ご飯を食べます。朝食の後で、部屋へ教科書やノートをとりに行きます。

日本語の授業は9時に始まります。9時15分前に教室に行きます。私はジョンさんやキムさんやリーさんやマックスさんたちとおしゃべりをしながら、先生を待ちます。9時から12時まで会話や文法や作文や漢字のクラスがあります。授業が終わってから、私たちは昼ご飯を食べに行きます。ほとんどいつも学生会館の食堂で食べます。昼ご飯の後、私はいろいろなことをします。例えば、勉強や買物やそうじなどをします。2週間に1度映画を見に行きます。時々、尾崎さんや上田さんや松本さんと会って、何か飲みながらいろいろ話をします。7時に晩ご飯を食べます。晩ご飯の後で、少しテレビを見て友達とおしゃべりをして、明日のクラスの準備をします。それから、お風呂に入ります。日本に来る前、私の国では朝起きてからシャワーをあびました。でも日本では夜お風呂に入ります。11時ごろ寝ます。でも寝る前に30分ぐらい本を読みます。

			PRIMERA CLÁUSULA	SEGUNDA CLÁUSULA
GRUPO I	ARU-KU	ARU-KI-		
GRUPO II	TABE-RU	TABE-	-NAGARA	+ FRASE
GRUPO III	SU-RU	SHI-		
	KU-RU	KI-		

① 吉本さんはコーヒーを飲みながら、新聞を読んでいます。
② ビールを飲みながら、話しましょう。
③ ご飯を食べながら、話してはいけません。。

練習1　絵を見て、練習しなさい。	*Practica mirando los dibujos*

携帯電話で話しながら、運転してはいけません。

あの人は歩きながら、アイスクリームを食べています。

あの人は泣きながら、自分の気持ちを打ち明けました。

PRIMERA CLÁUSULA		SEGUNDA CLÁUSULA
Verbo forma-diccionario	+ MAE NI	+ FRASE
ねる	+ まえに	本を読みます
Nombre	+ NO MAE NI	+ FRASE
えいが	+ のまえに	+ お茶でも飲みませんか。

① マリアさんは学校へ行く前に、朝ご飯を食べます。
② 尾崎さんは家へ帰る前に、友達とビールを飲みました。
③ ジョンさんは昼ご飯を食べる前に、手を洗いました。
④ 朝ご飯の前に、1時間ぐらいプールで泳ぎます。
⑤ 映画を見る前に、お茶でも飲みませんか。

文型 3

PRIMERA CLÁUSULA		SEGUNDA CLÁUSULA
Verbo forma -TE	+ KARA	+ FRASE
おきて	+ から	シャワーをあびます

① A：家に帰ってから、何をしますか。
　 B：家に帰ってから、少しテレビを見て、晩御飯を食べます。

PRIMERA CLÁUSULA		SEGUNDA CLÁUSULA
Nombre	+ NO ATO (DE)	+ FRASE
しごと	+ のあと ［で］	友達とビールを飲みます

① A：夕べ、晩御飯の後で何をしましたか。
　 B：晩御飯の後で、映画に行きました。

起きてから、何をしますか。昼ご飯の前に、何をしますか。

練習3　第6課の　練習4を見て、 　　　　次の文型を使いなさい。	Utiliza las siguientes estructuras mirando el ejercicio 4 de la lección 6

上田さんはプールで泳いでから、何をしましたか。

昼ご飯の前に、何をしましたか。　仕事の後で、何をしましたか。

練習4　自分のことを書きなさい。	Escribe sobre ti mismo

私はいつも音楽を聞きながら、勉強します。

私は昨日、勉強する前に、音楽を聞きました。

{ 私は毎朝、朝ご飯を食べてから、学校へ行きます。

① ＿＿＿＿＿＿＿＿＿＿ながら、＿＿＿＿＿＿＿＿＿＿＿。

② ＿＿＿＿＿＿＿＿＿＿まえに、＿＿＿＿＿＿＿＿＿＿＿。

③ ＿＿＿＿＿＿＿＿＿のまえに、＿＿＿＿＿＿＿＿＿＿＿。

④ ＿＿＿＿＿＿＿＿＿＿から、＿＿＿＿＿＿＿＿＿＿＿。

⑤ ＿＿＿＿＿＿＿＿＿のあとで、＿＿＿＿＿＿＿＿＿＿＿。

⑥ ＿＿＿＿＿＿＿＿＿＿、＿＿＿＿＿＿＿＿＿＿＿。

⑦ ＿＿＿＿＿＿＿＿＿＿、＿＿＿＿＿＿＿＿＿＿＿。

⑧ ＿＿＿＿＿＿＿＿＿＿、＿＿＿＿＿＿＿＿＿＿＿。

練習5	四角の色にしたがって、答えなさい。	Responde según el color del cuadro

A：いつはをみがきますか。
B：ご飯を食べてから、磨きます。

A：いつ宿題をしますか。
B：テレビを見る前に、します。

①	はをみがく	ごはんをたべる
②	しゅくだいをする	テレビをみる
③	はなにみずをやる	ばんごはんをつくる
④	おふろにはいる	ねる
⑤	シャワーをあびる	ジョギングをする
⑥	しんぶんをよむ	だいがくへいく
⑦	テレビをみる	うちへかえる
⑧	かいものにいく	せんたくをする

文型5

LUGAR ADONDE		ACTIVIDAD		SE VA O SE VIENE
DEPAATO		ZUBON O	KAI	IKIMASU
TOSHOKAN		HON O	YOMI	IKIMASHITA
ANO KISSATEN	+ E	KOOHII O	NOMI	
PUURU			OYOGI + NI	KIMASU
				KIMASHITA

① 尾崎さんとジョンさんは京都へ清水寺を見に行きました。
② マリアさんは日本へ日本語を勉強しに来ました。
③ 石川さんは毎日家へ昼ご飯を食べに帰ります。

LUGAR ADONDE		ACTIVIDAD			SE VA O SE VIENE
DEPAATO			KAIMONO		IKIMASU
NIHON	+ E	NIHONGO NO	BENKYOO	+ NI	IKIMASHITA
SUISU			SUKII		KIMASU
					KIMASHITA

れんしゅう　　え　み　れんしゅう
練習 6　絵を見て、練習しなさい。　　*Practica mirando los dibujos*

{ A：デパートへ何をしに行きましたか／何をしにデパートへ行きましたか。
{ B：セーターを買いに行きました。

練習7	次の言葉を使って 文を作りなさい。	Haz frases utilizando las siguientes palabras

	としょかん	ほんをかりる	→	A：何をしに図書館へ行きましたか。 B：本をかりに行きました。

①	としょかん	日本語のしんぶんをよむ。
②	パリ	エッフェル塔を見る
③	かんこく	りょうしんに会う
④	ちゅうごく	中国語のべんきょうをする
⑤	ハワイ	およぐ
⑥	北海道	スキーをする
⑦	スーパー	せんざいを買う
⑧	ぎんざ	かぶきを見る

練習8	「ながら」「まえに」「あとで」などを 使ってクラスメートにきのう何を したか説明しなさい。	Explica a tu compañero qué hiciste ayer utilizando "nagara", mae ni ", "ato de", etc...

私はきのう7時に起きて、シャワーを浴びました。
服を着るまえにひげをそって…

練習9	それから、クラスメートに何を したか聞いて、作文を書きなさい。	*Luego pregunta a tu compañero* *qué hizo y escribe una redacción*

_____さんは_____

_____

_____

_____

_____

_____

_____

_____。

メモ	Memo	Apuntes

動詞	Dooshi		Verbos
アイロンをかける	airon o kakeru	II	*planchar*
絵を描く	e o kaku	I	*dibujar*
おしゃべりをする	o-shaberi o suru	III	*charlar*
口笛を吹く	kuchibue o fuku	I	*silbar*
準備をする	junbi o suru	III	*preparar*
電話で話す	denwa de hanasu	I	*hablar por teléfono*
歯を磨く	ha o migaku	I	*lavarse los dientes*
花に水をやる	hana ni mizu o yaru	I	*regar las plantas*
話をする	hanashi o suru	III	*hablar*
晩御飯を作る	bangohan o tsukuru	I	*hacer la cena*
ひげをそる	hige o soru	I	*afeitarse*

語彙	Goi	Vocabulario
エッフェル塔	Efferu-too	*torre Eiffel*
化学	kagaku	*química*
清水寺	Kiyomizu-dera	*nombre de un templo de Kyoto*
携帯電話	keitai-denwa	*teléfono móvil*
辞書形	jisho-kei	*equivalente al infinitivo*
授業	jugyoo	*clase actividad*
洗剤	senzai	*detergente*
大学	daigaku	*universidad*

例えば	tatoeba	*por ejemplo*
場所	basho	*lugar*
ファッション	fasshon	*moda*
ファッションショー	fasshon-shoo	*desfile de modelos*
北海道	Hokkaidoo	*isla de Hokaido*
ポップコーン	poppukoon	*palomitas de maíz*
名詞	meishi	*substantivo*

第11課 だいじゅういっか パート1 僕は文法の問題が ぼく ぶんぽう もんだい できました。	Dai-juu ik-ka Paato 1 Boku wa bunpoo no mondai ga dekimashita.	*Lección 10* *Parte 1* *He podido responder las* *preguntas de gramática.*

会話1 かいわ

（日本語学校で）にほんごがっこう

キム：　今日のテストはどうでしたか。 きょう

テレサ：　私は助詞の問題がよく分かりませんでした。私には助詞は難しい わたし じょし もんだい わ わたし じょし むずか

　　　　です。その他の問題は答えることができましたが…。 ほか もんだい こた

ハイメ：　僕は文法の問題はできましたが、漢字を書くことはできませんでした。 ぼく ぶんぽう もんだい かんじ か

　　　　漢字を読むことはできますが、書くことはとても難しいです。僕は かんじ よ か むずか ぼく

　　　　いい漢字の本がいりますよ。ところで、テレサさんは漢字を読むこと かんじ ほん かんじ よ

　　　　も書くこともできますか。 か

テレサ：　そうですね。毎日漢字を練習します。でも、覚えるのは大変です。 まいにちかんじ れんしゅう おぼ たいへん

　　　　キムさん、あなたはどうでしたか。

キム：　今日のテストですか。私はかなりできましたよ。 きょう わたし

テレサ：　そうでしょうね。キムさんは日本語がよくできますから。私はキム にほんご わたし

　　　　さんがうらやましいですよ。

キム：　いいえ、そんなことはありませんよ。

文型1 ぶんけい

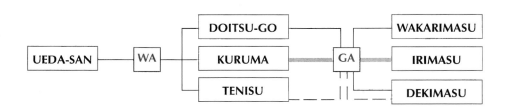

① この仕事には時間がいります。 しごと じかん

② 松本さんは英語ができます。 まつもと えいご

③ その言葉の意味が分かりますか。 ことば いみ わ

① 尾崎さんは中国語ができます。／中国語を話すことができます。
② 上田さんは運転ができます。／運転することができます。
③ マックスさんはゴルフができます。／ゴルフをすることができます。
④ ジョルジオさんは料理ができます。／料理をすることができます。

| 練習1　絵を見て、練習しなさい。 | *Practica mirando los dibujos* |

A：テニス（をすること）ができますか。
B：はい、（テニスが）できます。
A：ゴルフ（をすること）もできますか。
B：いいえ、ゴルフはできません。

<ruby>練習<rt>れんしゅう</rt></ruby>2	どんなスポーツができますか。 どんなスポーツが<ruby>好<rt>す</rt></ruby>きですか。 <ruby>四角<rt>しかく</rt></ruby>の<ruby>色<rt>いろ</rt></ruby>を<ruby>見<rt>み</rt></ruby>て、クラスメートと <ruby>話<rt>はな</rt></ruby>しなさい。	*¿Qué deportes te gustan?* *¿A qué deportes sabes jugar? Habla con* *tus compañeros mirando el color de* *los cuadros.*

A：サッカーが<ruby>好<rt>す</rt></ruby>きですか。
B：はい、<ruby>大好<rt>だいす</rt></ruby>きです。よくテレビでサッカーの<ruby>試合<rt>しあい</rt></ruby>を<ruby>見<rt>み</rt></ruby>ます。
　　でも、サッカーはぜんぜんできません。

A：クリケットができますか。　　　A：スキーができますか。
B：はい、できます。　　　　　　　B：いいえ、できません。

クリケット	ゴルフ	サッカー
バスケットボール	テニス	スキー
アイススケート	ピンポン	ローラースケート
バレーボール	やきゅう	ラグビー

<ruby>練習<rt>れんしゅう</rt></ruby>3　<ruby>1時間<rt>いちじかん</rt></ruby>でどんなことをすることが 　　　できるか、<ruby>言<rt>い</rt></ruby>いなさい。	*Di cosas que se puedan hacer en una hora*

① <ruby>1時間<rt>いちじかん</rt></ruby>で、<ruby>手紙<rt>てがみ</rt></ruby>を<ruby>書<rt>か</rt></ruby>くことができます。

② ＿＿＿＿＿＿＿＿＿＿＿＿＿＿＿＿＿＿＿＿＿＿＿＿。

③ ＿＿＿＿＿＿＿＿＿＿＿＿＿＿＿＿＿＿＿＿＿＿＿＿。

④ ＿＿＿＿＿＿＿＿＿＿＿＿＿＿＿＿＿＿＿＿＿＿＿＿。

⑤ ＿＿＿＿＿＿＿＿＿＿＿＿＿＿＿＿＿＿＿＿＿＿＿＿。

会話2

ジョン： 今日は尾崎さんの誕生日です。だから、僕と上田さんと松本さんと
マリアさんを晩ご飯に招待してくれました。

リー： そうですか。どこに招待してもらいましたか。

ジョン： 日本料理のレストランです。しゃぶしゃぶを食べました。おいしかっ
たですよ。

リー： それで、ジョンさんは尾崎さんに何かプレゼントをしましたか。

ジョン： ええ、クラシック音楽のCDをあげました。

リー： 私も一度しゃぶしゃぶを食べたいですね。いつかそのレストランに
連れて行ってくださいよ。

ジョン： はい。連れて行ってあげますよ。でも割り勘ですよ。

文型1

Aは	Bに	本を	あげる
Bは	Aに／から	本を	もらう
Aは	わたしに	本を	くれる

[マリアさんは尾崎さんに本をあげました。
尾崎さんはマリアさんに本をもらいました。]

[私は尾崎さんに本をあげました。]

[私はマリアさんに本をもらいました。
マリアさんは私に本をくれました。]

① 誕生日のプレゼントにマックスさんはキムさんにスカーフをあげました。
　誕生日のプレゼントにキムさんはマックスさんにスカーフをもらいました。

② 松本さんは私に香水をくれました。
　私は松本さんに香水をもらいました。

③ 吉川さんはリーさんに辞書をあげました。
　リーさんは吉川さんに辞書をもらいました。

④ 森田さんは私の妹にカセットテープをくれました。
　私の妹は森田さんにカセットテープをもらいました。

⑤ 私は妹に自転車をあげました。

⑥ 母は妹に人形をあげました。
　妹は母に人形をもらいました。

⑦ 妹は私にペンをくれました。
　私は妹にペンをもらいました。

練習1　絵を見て、練習しなさい。	*Practica mirando los dibujos*

尾崎さんはキムさんにイヤリングをあげました。

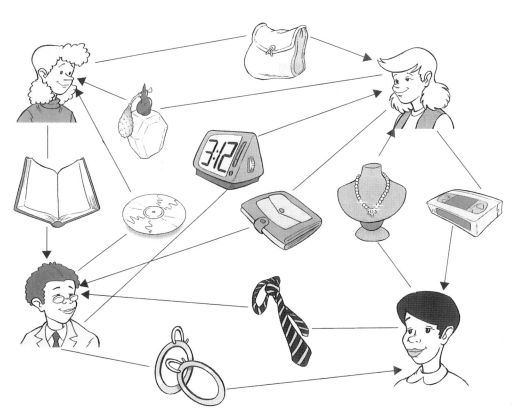

| 練習2 | クラスメートにクリスマスに何を もらったか聞きなさい。 | *Pregunta a tus compañeros qué les regalaron por Navidad* |

クリスマスにＡさんは何をもらいましたか。

クリスマスにお父さんは何をくれましたか。

なまえ	なにを？	なまえ	なにを？

文型2

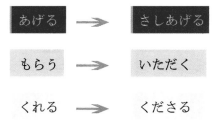

あげる → さしあげる

もらう → いただく

くれる → くださる

① 私はキムさんに切符をあげました。
　私は先生に切符をさしあげました。

② 石川さんが私に本をくれました。
　先生が私に本をくださいました。

③ 私は石川さんに本をもらいました。
　私は先生に本をいただきました。

文型3

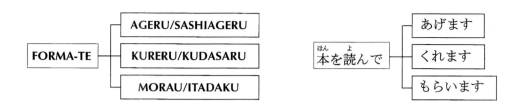

① 尾崎さんはマリアさんに切符を買ってあげました。
　　マリアさんは尾崎さんに切符を買ってもらいました。

② 上田さんは私に荷物を送ってくれました。
　　私は上田さんに荷物を送ってもらいました。

③ 田中先生は私に日本語を教えてくださいました。
　　私は田中先生に日本語を教えていただきました。

練習3　次の言葉を使って、文を作りなさい。	*Haz frases utilizando las siguientes palabras*

| ほん | → | 中山さんはトムさんに日本語のほんを読んであげました。 |

しんぶん	
シャツ	
えいご	
え	
おんがく	
おちゃ	
てがみ	
しゃしん	

　　A：もう 宿題をしましたか。
→B：はい、もう しました。
→B：いいえ、まだ していません。

　　A：まだ 宿題をしていますか。
→B：はい、まだ しています。
→B：いいえ、もう していません。

① A：山下さんはいますか。
　 B：いいえ、まだ来ていません。

② A：まだ雨が降っていますか。
　 B：いいえ、もう降っていません。

③ A：田中さんはもう帰りましたか。
　 B：はい、もう帰りました。

| 練習4　絵を見て、練習しなさい。 | *Practica mirando los dibujos* |

A：もう 昼ご飯を食べましたか。
B：はい、もう 食べました。

A：まだ 本を読んでいますか。
B：いいえ、もう 読んでいません。

A：まだ暑いですか。
B：はい、まだ暑いです。
B：いいえ、もう暑くないです。

メモ	Memo	Apuntes

UNIDAD PUNTUAL DE TIEMPO	+ GORO
3時　　　　　san-ji 3時5分　　　san-ji go-fun 3月3日　　　san-gatsu mik-ka	+ ごろ

CANTIDAD	+ GURAI
3時間　　　　san-ji-kan 5分　　　　　go-fun 1ヶ月　　　　ik-ka-getsu 10キロ　　　juk-kiro 2リットル　　ni rittoru	+ ぐらい

あげる	さしあげる (forma honorífica):	dar
もらう	いただく (forma honorífica):	recibir
くれる	くださる (forma honorífica):	dar/me/nos

注 : Los verbos 「あげる」「さしあげる」y「くれる」pertenecen al II grupo. 「もらう」y 「いただく」al I grupo. Respecto al verbo 「くださる」hemos de tener en cuenta que el presente formal se conjuga 「くださいます」

語彙	Goi	Vocabulario
アイススケート	aisusukeeto	*patinaje sobre hielo*
アラビア語	arabia-go	*lengua árabe*
意味	imi	*significado*
うらやましい (adj. ~ i)	urayamashii	*tener envidia*
かなり	kanari	*bastante*
カラオケ	karaoke	*karaoke*
勘定	kanjoo	*la cuenta*
香水	koosui	*perfume*
言葉	kotoba	*palabra/ idioma*
試合	shiai	*partido/ partida*
助詞	joshi	*partícula*
荷物	nimotsu	*paquete / equipaje*
人形	ningyoo	*muñeco/ muñeca*
プレゼント	purezento	*regalo*
文法	bunpoo	*gramática*
他 （の）	hoka (no)~	*otro/a/os/as*
問題	mondai	*pregunta, problema*
ローラースケート	rooraasukeeto	*patinaje sobre ruedas*
割り勘	warikan	*(pagar) a medias*

動詞	Dooshi		Verbos
雨が降る	ame ga furu	I	*llover*
いる	iru	I	*necesitar*
運転する	unten suru	III	*conducir*
招待する	shootai suru	III	*invitar*
洗濯をする	sentaku o suru	III	*hacer la colada*
連れて行く	tsurete iku	I	*llevar (seres animados)*
できる	dekiru	II	*poder, saber+inf.*

泣く	naku	I	*llorar*
ひげをそる	hige o soru	I	*afeitarse*
プレゼントをする	purezento o suru	III	*regalar*
雪が降る	yuki ga furu	I	*nevar*

表現	Hyoogen	Frases hechas
そんなことはありません	sonna koto wa arimasen	*No, no, qué va* *(cuando alaban a uno)*

12

| 第 12 課
パート 1
明日はクラスに
遅れないでください。 | Dai-juuni-ka
Paato 1
Ashita wa kurasu ni
okurenaide kudasai. | *Lección 12*
Parte 1
Mañana no llegues
tarde a clase. |

ジョンさんの日記

今日は大変な一日だった。なぜなら、きのう夜遅く寝た。だから、今朝早く起きることができなかった。いつもクラスに行く前に朝ご飯を食べるが、今日は朝ご飯を食べないで、学校に行った。一時間目の授業に遅れた。あわてて学生会館を出たから、宿題を持たずにクラスに行った。あまり寝なかったからクラスの間、眠くて、困った。先生の説明もよく分からなかった。

一時間目の授業が終わってから、先生は僕に言った。

「ジョンさん、明日はクラスに遅れないでくださいね。宿題も忘れないでください。」

文型1

VERBOS
基本体 （きほんたい） INFORMAL

じしょけい FORMA DIC.	げんざい PRESENTE		かこ PASADO	
	こうていけい Afirmativo	ひていけい Negativo	こうていけい Afirmativo	ひていけい Negativo
あるく よむ かう	あるく よむ かう	あるかない よまない かわない	あるいた よんだ かった	あるかなかった よまなかった かわなかった
たべる みる みせる	たべる みる みせる	たべない みない みせない	たべた みた みせた	たべなかった みなかった みせなかった
くる する	くる する	こない しない	きた した	こなかった しなかった
である	だ	ではない じゃない	だった	ではなかった じゃなかった

① 今朝、部屋のそうじをした。それから、買物に行った。
② 毎週日曜日にディスコへ行く。
③ あの子は田中さんの弟だ。
④ 私は犬はあまり好きではない。

練習1	第5課の練習3、練習5と 第6課の練習2、練習4の絵を 見て、基本体の練習をしなさい。	Practica la forma informal de los verbos mirando los dibujos de los ejercicios 3 y 5 de la lección 5, y 2 y 4 de la lección 6

尾崎さんは会社へ行きます。　→　尾崎さんは会社へ行く。

上田さんは7時に起きました。　→　上田さんは7時に起きた。

文型2

PRIMERA CLÁUSULA		SEGUNDA CLÁUSULA
Presente negativo informal	+ DE	+ FRASE
べんきょうしない	+で	しけんをうけます

① 今朝、朝ご飯を食べないで、学校へ行きました。／行った。
② ストーブをけさないで、出かけた。
③ 席を予約しないで、レストランへ行った。

練習2　絵を見て、練習しなさい。	Practica mirando los dibujos

① ＿＿＿＿＿＿＿＿＿で、	ねました。
② しゅくだいを＿＿＿＿で、	＿＿＿＿＿＿＿＿＿。
③ シャワーをあびないで、	＿＿＿＿＿＿＿＿＿。
④ でんきをけさないで、	＿＿＿＿＿＿＿＿＿。
⑤ ＿＿＿＿＿＿＿＿＿で、	＿＿＿＿＿＿＿＿＿。
⑥ ＿＿＿＿＿＿＿＿＿で、	でんしゃにのりました。
⑦ てを＿＿＿＿＿で、	＿＿＿＿＿＿＿＿＿。
⑧ れんらく しないで	＿＿＿＿＿＿＿＿＿。

文型3

Presente negativo informal	+ DE	KUDASAI
たばこをすわない	+ で	ください

① 風邪がなおるまで、たばこを吸わないでください。
② 寒いですから、ストーブを消さないでください。
③ 危険ですから、ここを渡らないでください。
④ 夜１０時から、電話をしないでください。

A：甘い物を食べてもいいですか。
B：いいえ、甘い物は食べないでください。

A：じてんしゃを止めてもいいですか。
B：ええ、いいですよ。／止めてもいいです。／止めてください。

文型4

PRIMERA CLÁUSULA		SEGUNDA CLÁUSULA
Pasado afirmativo informal	+ ATO (DE)	+ FRASE
おきた	+あと［で］	シャワーをあびます

マリアさんはクラスの後で、図書館で宿題をした。

マリアさんはクラスに行った後で、図書館で宿題をした。

マリアさんはクラスの前に、コーヒーを飲んだ。

マリアさんはクラスに行く前に、コーヒーを飲んだ。

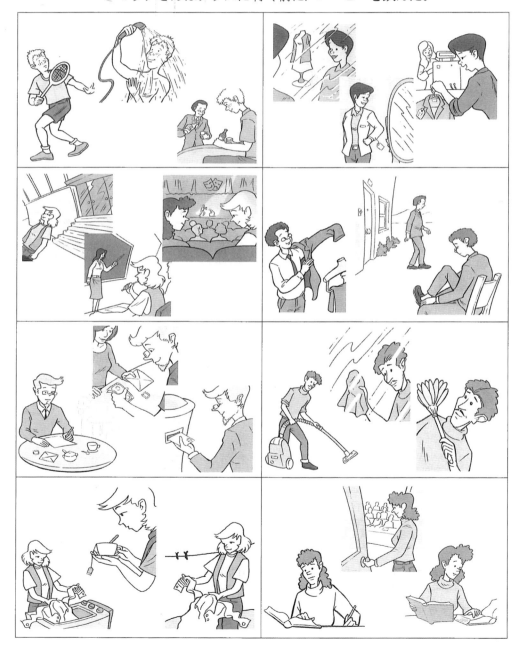

会話2

医者： どうしたんですか。

ハイメ： きのうの夜から頭が痛いんです。せきも出るんです。

医者： 熱がありますか。

ハイメ： はい。きのうの夜はあまり高くなかったんですが、今朝は３８度
ぐらいありました。それに鼻がつまって、息をするのが苦しいんです。

医者： 口を開けてください。のどがはれていますね。風邪ですね。薬を
あげますから、１日に３回食後に飲んでください。

ハイメ： いつまで飲むんですか。

医者： ３、４日飲んでください。

ハイメ： 明日テストがあるんですが、学校に行ってもいいですか。

医者： 熱が下がるまで外に出ないでください。風呂にも入ってはいけません。

ハイメ： はい、分かりました。どうもありがとうございました。

文型1

ADJETIVOS ~I
基本体 （きほんたい） INFORMAL

じしょけい FORMA DIC.	げんざい PRESENTE		かこ PASADO	
	こうていけい Afirmativo	ひていけい Negativo	こうていけい Afirmativo	ひていけい Negativo
たかい うすい いい よい	たかい うすい いい よい	たかくない うすくない よくない よくない	たかかった うすかった よかった よかった	たかくなかった うすくなかった よくなかった よくなかった

① きのう、セーターを買った。とても安かった。
② 先週の土曜日に映画を見た。とてもおもしろかった。
③ 夕べ、レストランへ行った。とても安かったが、あまりおいしくなかった。

練習1　第3課の練習1の絵を見て、 形容詞の過去形を練習しなさい。	*Practica la forma informal del adjetivo mirando los dibujos del ejercicio 1 de la lección 3*

この鉛筆は長いです。　　　　　　この鉛筆は長い。

あの山は低くないです。　　　　　あの山は低くない。
あの山は低くありません。

この鉛筆は短かったです。　　　　この鉛筆は短かった。

あの山は低くなかったです。　　　あの山は低くなかった。
あの山は低くありませんでした。

文型2

ADJETIVOS ~NA Y SUBSTANTIVOS
基本体　（きほんたい）　INFORMAL

	げんざい PRESENTE		かこ PASADO	
じしょけい FORMA DIC.	こうていけい Afirmativo	ひていけい Negativo	こうていけい Afirmativo	ひていけい Negativo
しずか	しずかだ	しずかではない しずかじゃない	しずかだった	しずかではなかった しずかじゃなかった
ほん	ほんだ	ほんではない ほんじゃない	ほんだった	ほんではなかった ほんじゃなかった

① この映画はあまりいい映画じゃない。
② 私はアメリカ人ではない。
③ 尾崎さんは会社員だ。
④ 上田さんはチョコレートが好きだ。

	げんざい PRESENTE		かこ PASADO	
じしょけい FORMA DIC.	こうていけい Afirmativo	ひていけい Negativo	こうていけい Afirmativo	ひていけい Negativo
いく	いくんです いくのです	いかないんです いかないのです	いったんです いったのです	いかなかったんです いかなかったのです
いい	いいんです いいのです	よくないんです よくないのです	よかったんです よかったのです	よくなかったんです よくなかったのです
きれい	きれいなんです きれいなのです	～じゃないんです ～ではないのです	～だったんです ～だったのです	～じゃなかったんです ～ではなかったのです
ほん	ほんなんです ほんなのです	～じゃないんです ～ではないのです	～だったんです ～だったのです	～じゃなかったん ～ではなかったのです

① Ａ：どうしたんですか。
　 Ｂ：あたまが痛いんです。
② Ａ：何をしているんですか。
　 Ｂ：財布を捜しているんです。
③ Ａ：夏休みにどこかへ行きましたか。
　 Ｂ：はい。
　 Ａ：どこへ行ったんですか。
　 Ｂ：ドイツへ行ったんです。

練習2　自由に答えなさい。　　　　　　　　　| *Responde libremente*

Ａ・何かさがしているんですか。	Ｂ：＿＿＿＿＿＿＿＿＿＿＿。
Ａ：いそいでいるんですか。	Ｂ：＿＿＿＿＿＿＿＿＿＿＿。
Ａ：どこへいくんですか。	Ｂ：＿＿＿＿＿＿＿＿＿＿＿。
Ａ：どうしたんですか。	Ｂ：＿＿＿＿＿＿＿＿＿＿＿。

練習3	「メモ」にある言葉を使って、練習しなさい。	Practica usando las palabras que salen en memo

A：どうしたんですか。
B：あたまが痛いんです。

メモ	Memo		Apuntes
痛い	itai (adj. ~i)		*doler*
あしが痛い	ashi ga itai		*doler los pies/ las piernas*
あたまが痛い	atama ga itai		*doler la cabeza*
おなかが痛い	onaka ga itai		*doler la barriga*
のどが痛い	nodo ga itai		*doler la garganta*
歯が痛い	ha ga itai		*doler una muela (diente)*
風邪をひく	kaze o hiku	I	*resfriarse*
気分が悪い	kibun ga warui		*encontrarse mal*
くしゃみが出る	kushami ga deru	II	*estornudar*
寒気がする	samuke ga suru	III	*tener escalofríos*
せきが出る	seki ga deru	II	*tener tos*
熱が上がる	netsu ga agaru	I	*subir la fiebre*
熱がある	netsu ga aru	I	*tener fiebre*
熱が下がる	netsu ga sagaru	I	*bajar la fiebre*
吐く	haku	I	*vomitar*
鼻がつまる	hana ga tsumaru	I	*tener la nariz tapada*
はれる	hareru	II	hincharse, abotargarse
（〜の）骨を折る	~no hone o oru	I	romperse~

VERBOS: FORMA –TE E INFORMAL*(1)

*(1) El presente afirmativo informal coincide con la forma diccionario.

GRUPO I

FORMA DICCIONARIO	FORMA -TE	PRESENTE NEGATIVO	PASADO AFIRMATIVO	PASADO NEGATIVO
AU	ATTE	AWANAI	ATTA	AWANAKATTA
AGARU	AGATTE	AGARANAI	AGATTA	AGARANAKATTA
ASOBU	ASONDE	ASOBANAI	ASONDA	ASOBANAKATTA
ARAU	ARATTE	ARAWANAI	ARATTA	ARAWANAKATTA
ARU	ATTE	NAI	ATTA	NAKATTA
ARUKU	ARUITE	ARUKANAI	ARUITA	ARUKANAKATTA
IU	ITTE	IWANAI	ITTA	IWANAKATTA
IKU	ITTE	IKANAI	ITTA	IKANAKATTA
ISOGU	ISOIDE	ISOGANAI	ISOIDA	ISOGANAKATTA
UTAU	UTATTE	UTAWANAI	UTATTA	UTAWANAKATTA
URU	UTTE	URANAI	UTTA	URANAKATTA
OKU	OITE	OKANAI	OITA	OKANAKATTA
OKURU	OKUTTE	OKURANAI	OKUTTA	OKURANAKATTA
OMOU	OMOTTE	OMOWANAI	OMOTTA	OMOWANAKATTA
OYOGU	OYOIDE	OYOGANAI	OYOIDA	OYOGANAKATTA
OWARU	OWATTE	OWARANAI	OWATTA	OWARANAKATTA
KAU	KATTE	KAWANAI	KATTA	KAWANAKATTA
KAESU	KAESHITE	KAESANAI	KAESHITA	KAESANAKATTA
KAERU	KAETTE	KAERANAI	KAETTA	KAERANAKATTA
KAKARU	KAKATTE	KAKARANAI	KAKATTA	KAKARANAKATTA
KAKU	KAITE	KAKANAI	KAITA	KAKANAKATTA
KASU	KASHITE	KASANAI	KASHITA	KASANAKATTA
KIKU	KIITE	KIKANAI	KIITA	KIKANAKATTA
KIRU	KITTE	KIRANAI	KITTA	KIRANAKATTA
KESU	KESHITE	KESANAI	KESHITA	KESANAKATTA
SHIRU	SHITTE	SHIRANAI	SHITTA	SHIRANAKATTA
SUU	SUTTE	SUWANAI	SUTTA	SUWANAKATTA
SUMU	SUNDE	SUMANAI	SUNDA	SUMANAKATTA
SUWARU	SUWATTE	SUWARANAI	SUWATTA	SUWARANAKATTA
DASU	DASHITE	DASANAI	DASHITA	DASANAKATTA
TATSU	TATTE	TATANAI	TATTA	TATANAKATTA
TSUKAU	TSUKATTE	TSUKAWANAI	TSUKATTA	TSUKAWANAKATTA
TSUKU	TSUITE	TSUKANAI	TSUITA	TSUKANAKATTA
TSUKURU	TSUKUTTE	TSUKURANAI	TSUKUTTA	TSUKURANAKATTA
TOORU	TOOTTE	TOORANAI	TOOTTA	TOORANAKATTA
TOMARU	TOMATTE	TOMARANAI	TOMATTA	TOMARANAKATTA
TORU	TOTTE	TORANAI	TOTTA	TORANAKATTA
NOMU	NONDE	NOMANAI	NONDA	NOMANAKATTA
NORU	NOTTE	NORANAI	NOTTA	NORANAKATTA
HAIRU	HAITTE	HAIRANAI	HAITTA	HAIRANAKATTA

FORMA DICCIONARIO	FORMA -TE	PRESENTE NEGATIVO	PASADO AFIRMATIVO	PASADO NEGATIVO
HAKOBU	HAKONDE	HAKOBANAI	HAKONDA	HAKOBANAKATTA
HASHIRU	HASHITTE	HASHIRANAI	HASHITTA	HASHIRANAKATTA
HAJIMARU	HAJIMATTE	HAJIMARANAI	HAJIMATTA	HAJIMARANAKATTA
HATARAKU	HATARAITE	HATARAKANAI	HATARAITA	HATARAKANAKATTA
HANASU	HANASHITE	HANASANAI	HANASHITA	HANASANAKATTA
HARAU	HARATTE	HARAWANAI	HARATTA	HARAWANAKATTA
MATSU	MATTE	MATANAI	MATTA	MATANAKATTA
MORAU	MORATTE	MORAWANAI	MORATTA	MORAWANAKATTA
YASUMU	YASUNDE	YASUMANAI	YASUNDA	YASUMANAKATTA
YOBU	YONDE	YOBANAI	YONDA	YOBANAKATTA
YOMU	YONDE	YOMANAI	YONDA	YOMANAKATTA
WAKARU	WAKATTE	WAKARANAI	WAKATTA	WAKARANAKATTA
WATARU	WATATTE	WATARANAI	WATATTA	WATARANAKATTA
WARAU	WARATTE	WARAWANAI	WARATTA	WARAWANAKATTA

GRUPO II

FORMA DICCIONARIO	FORMA -TE	PRESENTE NEGATIVO	PASADO AFIRMATIVO	PASADO NEGATIVO
AKERU	AKETE	AKENAI	AKETA	AKENAKATTA
AGERU	AGETE	AGENAI	AGETA	AGENAKATTA
ABIRU	ABITE	ABINAI	ABITA	ABINAKATTA
IRU	ITE	INAI	ITA	INAKATTA
IRERU	IRETE	IRENAI	IRETA	IRENAKATTA
OKIRU	OKITE	OKINAI	OKITA	OKINAKATTA
OSHIERU	OSHIETE	OSHIENAI	OSHIETA	OSHIENAKATTA
OBOERU	OBOETE	OBOENAI	OBOETA	OBOENAKATTA
ORIRU	ORITE	ORINAI	ORITA	ORINAKATTA
KAKERU	KAKETE	KAKENAI	KAKETA	KAKENAKATTA
KARIRU	KARITE	KARINAI	KARITA	KARINAKATTA
KIKOERU	KIKOETE	KIKOENAI	KIKOETA	KIKOENAKATTA
KIRU	KITE	KINAI	KITA	KINAKATTA
KURERU	KURETE	KURENAI	KURETA	KURENAKATTA
KOTAERU	KOTAETE	KOTAENAI	KOTAETA	KOTAENAKATTA
SHIMERU	SHIMETE	SHIMENAI	SHIMETA	SHIMENAKATTA
TABERU	TABETE	TABENAI	TABETA	TABENAKATTA
TSUKERU	TSUKETE	TSUKENAI	TSUKETA	TSUKENAKATTA
DERU	DETE	DENAI	DETA	DENAKATTA
NERU	NETE	NENAI	NETA	NENAKATTA
HAJIMERU	HAJIMETE	HAJIMENAI	HAJIMETA	HAJIMENAKATTA
MIERU	MIETE	MIENAI	MIETA	MIENAKATTA
MISERU	MISETE	MISENAI	MISETA	MISENAKATTA
MIRU	MITE	MINAI	MITA	MINAKATTA
WASURERU	WASURETE	WASURENAI	WASURETA	WASURENAKATTA

GRUPO III

FORMA DICCIONARIO	FORMA -TE	PRESENTE NEGATIVO	PASADO AFIRMATIVO	PASADO NEGATIVO
SURU	SHITE	SHINAI	SHITA	SHINAKATTA
KURU	KITE	KONAI	KITA	KONAKATTA
DE ARU	DE	DEWANAI	DATTA	DEWANAKATTA
		JANAI		JANAKATTA

語彙	Goi	Vocabulario
甘い物	amai-mono	cosa dulce ·
あわてて	awatete	precipitadamente
一時間目	ichi-jikan-me	la primera hora
過去	kako	pasado
風邪	kaze	resfriado
危険（な）	kiken (na) (adj. ~na)	peligroso, arriesgado
基本体	kihontai	forma informal
苦しい	kurushii (adj. ~i)	penoso, dificultoso
玄関	genkan	recibidor
現在	genzai	presente
肯定形	kootei-kei	forma afirmativa
芝生	shibafu	césped
食後	shokugo	después de las comidas
食前	shokuzen	antes de las comidas
掃除機	soojiki	aspiradora
～度	~do	grados, veces
眠い	nemui (adj.~i)	tener sueño
否定形	hitei-kei	forma negativa
ポスター	posutaa	póster
窓ガラス	mado-garasu	cristal de la ventana

動詞	Dooshi		Verbos
息をする	iki o suru	III	respirar
着がえる	kigaeru	II	cambiarse de ropa
パジャマに着がえる	pajama ni kigaeru		ponerse el pijama
靴を磨く	kutsu o migaku	I	cepillar los zapatos

試験を受ける	shiken o ukeru	II	*examinarse*
辞書をひく	jisho o hiku	I	*consultar el diccionario*
試す	tamesu	I	*probar~/ probarse~*
駐車する	chuusha suru	III	*aparcar*
出かける	dekakeru	II	*salir*
ドアにかぎをかける	doa ni kagi o kakeru	II	*cerrar la puerta con llave*
なおる	naoru	I	*mejorar, arreglarse*
服を干す	fuku o hosu	I	*poner la ropa a secar*
ほこりをはらう	hokori o harau	I	*quitar el polvo*
連絡する	renraku suru	III	*ponerse en contacto con~*

表現	Hyoogen	Expresiones
どうしたんですか。	dooshita-n-desuka	*¿Qué te/le pasa?*

第13課 だいじゅうさんか パート1 上田さんは箱根に うえだ　はこね 行くと言いました。 い	Dai-juusan-ka Paato 1 Ueda-san wa hakone ni iku to imashita.	*Lección 13* *Parte 1* *Ueda-san ha dicho que* *irá a Hakone.*

会話1
かいわ

（学生会館で）
がくせいかいかん

マリア：　リーさん、今日ぐうぜん新宿で上田さんに会ったんです。
きょう　　　　しんじゅく　うえだ　　　あ

リー：　　そうですか。私はだいぶ長い間上田さんや尾崎さんたちに会って
わたし　　　なが　あいだうえだ　　　おざき　　　あ
いません。元気でしたか。
げんき

マリア：　ええ、元気でしたよ。一度リーさんに会いたいと言っていましたよ。
げんき　　　　いちど　　　　　あ　　い
私は上田さんに「いつかみんなと一緒にどこかへ行きましょう」と
わたし　うえだ　　　　　　　　いっしょ　　　　い
言ったんです。
い

リー：　　今度の週末、上田さんに電話をかけます。
こんど　しゅうまつ　うえだ　　　でんわ

マリア：　私も「今度の週末はひまですか」と聞いたんです。でも上田さんは
わたし　こんど　しゅうまつ　　　　　き　　　　　　　うえだ
今度の週末、大阪から来る友達と箱根へ行って、一泊すると言って
こんど　しゅうまつ　おおさか　く　ともだち　はこね　い　　いっぱく　　　い
いました。だから、この週末彼女はいませんよ。
しゅうまつかのじょ

リー：　　へえー。上田さんは大阪に友達がいるんですか。その友達は何をして
うえだ　　　おおさか　ともだち　　　　　　　ともだち　なに
いる人ですか。
ひと

マリア：　大阪にある貿易会社に勤めている人だと言っていました。
おおさか　　　ぼうえきがいしゃ　つと　　　　ひと　　い

リー：　　そうですか。

文型1
ぶんけい

① ジョンさんはマリアさんに「映画を見ました。」と言いました。
えいが　み　　　　い
ジョンさんはマリアさんに映画を見た　言いました。
えいが　み　　い

② 上田さんはキムさんに「明日海へ行きます。」と言いました。
うえだ　　　　　　あした うみ　い
上田さんはキムさんに明日海へ行くと言いました。
うえだ　　　　　　あした うみ　い　い

① ジョンさんはマリアさんに「映画を見ませんでした。」と言いました。
　ジョンさんはマリアさんに映画を見なかったと言いました。
② 上田さんはキムさんに「明日うみへ行きません。」と言いました。
　上田さんはキムさんに明日うみへ行かないと言いました。

文型2

① ジョンさんはマリアさんに「ドアを開けてください。」と言いました。
　ジョンさんはマリアさんにドアを開けるように言いました。
② 上田さんはキムさんに「テレビを消してくださいませんか。」と言った。
　上田さんはキムさんにテレビをけすように言いました。

① ジョンさんはマリアさんに「ドアを開けないでください。」と言いました。
　ジョンさんはマリアさんにドアを開けないように言いました。
② 上田さんはキムさんに「テレビを消さないでください。」と言いました。
　上田さんはキムさんにテレビを消さないように言いました。

A：ジョンさんはマリアさんに<ruby>何<rt>なん</rt></ruby>と<ruby>言<rt>い</rt></ruby>いましたか。

B：（ジョンさんはマリアさんに<ruby>彼<rt>かれ</rt></ruby>が）<ruby>映画<rt>えいが</rt></ruby>を<ruby>見<rt>み</rt></ruby>たと<ruby>言<rt>い</rt></ruby>いました。

A：<ruby>上田<rt>うえだ</rt></ruby>さんはキムさんに<ruby>何<rt>なん</rt></ruby>と<ruby>言<rt>い</rt></ruby>いましたか。

B：（<ruby>上田<rt>うえだ</rt></ruby>さんはキムさんに）テレビを<ruby>消<rt>け</rt></ruby>すように<ruby>言<rt>い</rt></ruby>いました。

でんきをつけてください

<ruby>夕<rt>ゆう</rt></ruby>べ，ディスコでおどりました

<ruby>東京駅<rt>とうきょうえき</rt></ruby>で<ruby>電車<rt>でんしゃ</rt></ruby>にのってください。

<ruby>日本語<rt>にほんご</rt></ruby>のしんぶんをよんでください

<ruby>私<rt>わたし</rt></ruby>のへやは<ruby>広<rt>ひろ</rt></ruby>くてあかるいです

あのしょうせつはとても
おもしろいです。

<ruby>学校<rt>がっこう</rt></ruby>におくれないでください。

その<ruby>紙<rt>かみ</rt></ruby>をおらないでください

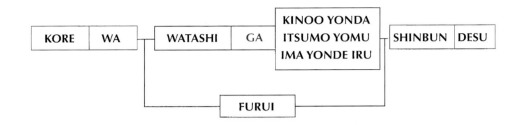

| KORE | WA | WATASHI | GA | KINOO YONDA ITSUMO YOMU IMA YONDE IRU | SHINBUN | DESU |

FURUI

練習2　例のように言いなさい。　　　　*Habla siguiendo los ejemplos*

はさみは紙などを切る物です。

お医者さんは患者の病気をなおす人です。

レストランはご飯を食べるところです。

A：どの<ruby>人<rt>ひと</rt></ruby>がマックスさんですか。

B：リュックをせおっている人です。

A：でもみんなリュックをせおっていますよ。どの<ruby>人<rt>ひと</rt></ruby>ですか。

B：ぼうしをかぶって<ruby>黒<rt>くろ</rt></ruby>いサングラスをかけている<ruby>人<rt>ひと</rt></ruby>です。

EXCURSIÓN EN EL CAMPO

<ruby>練習<rt>れんしゅう</rt></ruby>4 <ruby>教科書<rt>きょうかしょ</rt></ruby>の<ruby>第8課<rt>だいはちか</rt></ruby>の<ruby>練習<rt>れんしゅう</rt></ruby>3の<ruby>絵<rt>え</rt></ruby>を<ruby>見<rt>み</rt></ruby>て、<ruby>練習<rt>れんしゅう</rt></ruby>しなさい。 | *Practica mirando los dibujos del ejercicio 3 de la lección 8*

A：どの<ruby>人<rt>ひと</rt></ruby>が<ruby>田中<rt>たなか</rt></ruby>さんですか。

B：テレビを<ruby>見<rt>み</rt></ruby>ている<ruby>人<rt>ひと</rt></ruby>です。

練習5	同じような文型を使って、クラスメートの描写をしなさい。	Describe a tus compañeros utilizando estructuras similares.

> A：どの人がマリアさんですか。
> B：赤いセーターをきて、ジーンズをはいている人です。

> A：どのひとがマリアさんですか。
> B：こくばんに漢字を書いている人です。

① _____さんは_____。

② _____さんは_____。

③ _____さんは_____。

④ _____さんは_____。

⑤ _____さんは_____。

⑥ _____さんは_____。

⑦ _____さんは_____。

⑧ _____さんは_____。

練習6	次の言葉を使って例のような文を作りなさい。	Haz frases utilizando las siguientes palabras

てちょう

ほん

これはきのう買った本です。

いす

がっこう

ケーキ

デパート

せんせい

としょかん

しんぶん

つくえ

じしょ

ちかてつ

てちょう

会話2

マックス：　エリザベスさん、今度の連休はどうするんですか。どこかへ
　　　　　　行くんですか。

エリザベス：　私ですか。私はどこへも行きません。買物をしたり、洗濯を
　　　　　　したり、部屋のそうじをしたりします。それに、この連休に
　　　　　　マリアさんに借りた本を読みたいんです。マックスさんは？

マックス：　そうですね。本当は京都か奈良へ行きたいんですが、今月は
　　　　　　買った物がたくさんあるから、お金がありません。だから、
　　　　　　ここにいます。国では休みにはいつも山登りをしたり、魚釣
　　　　　　りをしたりしたんですが…。

エリザベス：　私も国では家族とどこかへ行ったり、友達に会ったりしまし
　　　　　　た。でも、私はまだ日本人の友達がいないから、つまらない
　　　　　　ですよ。

マックス：　じゃあ、よかったら、二人でどこかへ行きませんか。多分
　　　　　　映画を見たりすることができますよ。

文型1

	テニスをする	買物に行く	
毎週土曜日に	テニスをしたり、	買物に行ったり	します。
きのう	テニスをしたり、	買物に行ったり	しました。

①　今朝、そうじをしたり、せんたくをしたりしました。
②　A：日曜日にどんなことをしますか。
　　B：映画を見たり、買物に行ったりします。
③　教室でたばこを吸ったり、ジュースを飲んだりしてはいけません。

文型2

うそをつく　→　マリアさんはうそをついたりしません

① 石川さんは小さい子供をいじめたりしませんよ。

② 山本さんは人の悪口を言ったりしないんですよ。

練習1　例のように言いなさい。	Habla siguiendo los ejemplos

A：吉田さんは人の物をとったりしないんですよ。

練習2　例のように言いなさい。	Habla siguiendo los ejemplos

私はテニスをしたり、買物に行ったりしました。

私はテニスをして、シャワーを浴びました。

練習3 クラスメートに週末にどんなことをするか聞きなさい。	Pregunta a tus compañeros qué hacen el fin de semana

しゅうまつ なに
週末にどんなこと（何）をしますか。

	＿＿＿さん	＿＿＿さん	＿＿＿さん	＿＿＿さん
土曜日の午前中				
土曜日の午後				
土曜日の夜				
日曜日の午前中				
日曜日の午後				
日曜日の夜				

ぶんけい
文型3

OPUESTOS

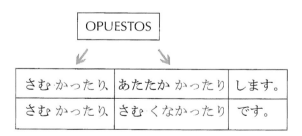

さむ かったり、	あたたか かったり	します。
さむ かったり、	さむ くなかったり	です。

① A：この冬は寒いですか。
　 B：いいえ、寒かったり、暖かかったりです。
② 電気はついたり、消えたりして、ちゃんと仕事ができません。
③ 田中さんは私に親切だったり、不親切だったりして、つきあいにくい人です。

寒かったり、暖かかったりします。

メモ	Memo	Apuntes

ADJETIVOS ~I INFORMAL*(1)

El presente afirmativo de los adjetivos ~I coincide con la forma diccionario

FORMA DICCIONARIO	PRESENTE NEGATIVO	PASADO AFIRMATIVO	PASADO NEGATIVO
AKARUI	AKARUKUNAI	AKARUKATTA	AKARUKUNAKATTA
ATARASHII	ATARASHIKUNAI	ATARASHIKATTA	ATARASHIKUNAKATTA
ATSUI	ATSUKUNAI	ATSUKATTA	ATSUKUNAKATTA
II / YOI	YOKUNAI	YOKATTA	YOKUNAKATTA
URUSAI	URUSAKUNAI	URUSAKATTA	URUSAKUNAKATTA
OISHII	OISHIKUNAI	OISHIKATTA	OISHIKUNAKATTA
OOKII	OOKIKUNAI	OOKIKATTA	OOKIKUNAKATTA
OMOSHIROI	OMOSHIROKUNAI	OMOSHIROKATTA	OMOSHIROKUNAKATTA
KITANAI	KITANAKUNAI	KITANAKATTA	KITANAKUNAKATTA
KURAI	KURAKUNAI	KURAKATTA	KURAKUNAKATTA
SAMUI	SAMUKUNAI	SAMUKATTA	SAMUKUNAKATTA

FORMA DICCIONARIO	PRESENTE NEGATIVO	PASADO AFIRMATIVO	PASADO NEGATIVO
SEMAI	SEMAKUNAI	SEMAKATTA	SEMAKUNAKATTA
TAKAI	TAKAKUNAI	TAKAKATTA	TAKAKUNAKATTA
CHIISAI	CHIISAKUNAI	CHIISAKATTA	CHIISAKUNAKATTA
TSUMARANAI	TSUMARANAKUNAI	TSUMARANAKATTA	TSUMARANAKUNAKATTA
TSUMETAI	TSUMETAKUNAI	TSUMETAKATTA	TSUMETAKUNAKATTA
NAGAI	NAGAKUNAI	NAGAKATTA	NAGAKUNAKATTA
HIKUI	HIKUKUNAI	HIKUKATTA	HIKUKUNAKATTA
HIROI	HIROKUNAI	HIROKATTA	HIROKUNAKATTA
FURUI	FURUKUNAI	FURUKATTA	FURUKUNAKATTA
MIJIKAI	MIJIKAKUNAI	MIJIKAKATTA	MIJIKAKUNAKATTA
MUZUKASHII	MUZUKASHIKUNAI	MUZUKASHIKATTA	MUZUKASHIKUNAKATTA
YASASHII	YASASHIKUNAI	YASASHIKATTA	YASASHIKUNAKATTA
YASUI	YASUKUNAI	YASUKATTA	YASUKUNAKATTA
WARUI	WARUKUNAI	WARUKATTA	WARUKUNAKATTA

語彙	Goi	Vocabulario
いつか	itsuka	*alguna vez*
患者	kanja	*paciente*
ぐうぜん	guuzen	*por casualidad*
写真機	shashin-ki	*máquina fotográfica*
スタンド	sutando	*lámpara de pie*
だいぶ	daibu	*bastante, considerablemente*
ちゃんと	chanto	*correctamente, como es debido*
つきあいにくい（人）	tsukiainikui (hito)	*persona difícil de tratar*
手帳	techoo	*agenda*
どろぼう	doroboo	*robo / ladrón*
長い間	nagai-aida	*mucho tiempo*
病気	byooki	*enfermo / enfermedad*
連休	renkyuu	*días festivos consecutivos*

動詞	Dooshi		Verbos
いじめる	ijimeru	II	*maltratar*
うそをつく	uso o tsuku	I	*mentir*
遅れる	okureru	II	*llegar con retraso*
折る	oru	I	*romper, doblar*
カンニングする	kanningu suru	III	*copiar en un examen*
消える	kieru	II	*apagarse, borrarse*
魚釣りをする	sakana-tsuri o suru	III	*pescar con caña*
つく	tsuku	I	*encenderse*
勤める	tsutomeru	II	*trabajar en*
とる	toru	I	*coger / robar*
なおす	naosu	I	*arreglar, corregir / sanar*
ぬすむ	nusumu	I	*robar*

LECCIÓN 1

Parte I: SOY ESTUDIANTE
(En la residencia de estudiantes)

María:	Me llamo María. Soy española. Encantada.
John:	Yo soy John. Mucho gusto.
María:	¿De dónde eres?
John:	De E.E.U.U. ¿De qué trabajas?
María:	Yo no trabajo. Soy estudiante. ¿Y tú?
John:	Yo soy diseñador. ¿Quién es aquella chica?
María:	Aquella chica se llama Lee. Es china.
John:	¿Ella también es estudiante?
María:	Pues no lo sé.

Parte II: ¿CÓMO SE LLAMA USTED?
(En recepción, en la matrícula de la escuela de japonés)

Persona encargada:	¿Cómo se llama usted?
John:	John Hall.
P. encargada:	¿De dónde es usted?
John:	De E.E.U.U.
P. encargada:	¿Cuál es su profesión?
John:	Soy diseñador.
P. encargada:	Muchas gracias.

LECCIÓN 2

Parte I: ¿CUÁNTO VALE ÉSTE?
(En la residencia de estudiantes)

Lee:	¿De quién es este diccionario de japonés?
María:	Es mío.
Lee:	Ah, ¿es tuyo?
María:	Sí.
Lee:	¿Cuánto vale?
María:	5,500 yenes. Lo compré ayer.
Lee:	¿Ah, sí? Yo también necesito un diccionario.

(En la librería)

Lee:	¿Tienen diccionarios de japonés?
Dependiente:	Sí, aquí están.
Lee:	Ah, hay de diferentes tipos. ¿Cuánto vale éste?
Dependiente:	Ése vale 4,000 yenes.
Lee:	Entonces, éste, por favor.

Parte II EL VIERNES DÍA 15 NO ME VA BIEN

Lee:	Giorgio-san, ¿te apetece ir al cine?
Giorgio:	¿Cuándo?
Lee:	¿Qué te parece el viernes de esta semana?
Giorgio:	Pues, espera un momento. Este

	viernes es 15 de octubre, ¿verdad?
Lee:	Sí.
Giorgio:	El viernes día 15 no me va bien.
Lee:	Entonces, ¿cuándo te va bien?
Giorgio:	¿Qué te parece este sábado?
Lee:	Bien. Pero el sábado es 16 de octubre, ¿no? Y a las seis de la tarde, en la residencia celebramos la fiesta de cumpleaños de Kim.
Giorgio:	¿A qué hora vamos al cine, entonces?
Lee:	Pues, ¿qué te parece a las dos y media de la tarde? La película termina alrededor de las cuatro y media.

LECCIÓN 3

Parte I: EL COLOR ES BONITO, PERO ES UN POCO LARGA

Dependiente:	¿Qué le parece esta falda?
Ueda:	Pues, el color es bonito, pero es un poco larga. ¿No las tiene un poco más cortas?
Dependiente:	Espere un momento, por favor. ¿Qué le parece ésta? El color es bonito y el diseño también lo es.
Ueda:	¿Cuánto vale ésta?
Dependiente:	13,000 yenes.
Ueda:	Es un poco cara, ¿no? ¿No las tiene un poco más baratas?
Dependiente:	Pues..., ¿qué le parece ésta, entonces?
Ueda:	Hum..., ¿puedo probármela?
Dependiente:	Sí, por supuesto.

Parte II: UN RESTAURANTE BARATO Y BUENO.

Kim:	La comida de la residencia no es muy buena, ¿verdad? ¿Por qué no comemos fuera hoy?
Lee:	Oh, sí. ¿Hay algún restaurante barato y bueno?
Kim:	Sí, no es muy barato, pero la comida es buena. El restaurante no es muy grande, pero el interior es bonito y tranquilo. Además, el ambiente es agradable. Los camareros son muy amables y el servicio es bueno.
Lee:	Entonces, vayamos ahí.

LECCIÓN 4

Parte I: EL LIBRO DE TEXTO ESTÁ ENCIMA DEL PUPITRE

María:	Eh, John-san, ¿qué te pasa?
John:	Pues que mi libro de texto no está. ¿No lo has visto?

María:	No, ¿por qué no lo buscamos juntos?
John:	Gracias.
María:	John-san, ¿no estará dentro de esa maleta?
John:	No, dentro de la maleta no está. Ya lo he mirado.
María:	¿En clase, tenías el libro de texto?
John:	Sí, claro que lo tenía.
María:	Entonces, ¿no estará dentro del aula? Busquemos dentro del aula.
(En el aula)	
John:	¡Ah, sí que estaba! Está encima de un pupitre del aula.
María:	¡Qué bien!

Parte II: UN CUADERNO, POR FAVOR

Kim:	Max-san, ¿vas de compras?
Max:	Sí.
Kim:	Entonces, ¿puedo pedirte un favor?
Max:	Sí, ¿de qué se trata?
Kim:	Querría cinco manzanas, un bote de café instantáneo y también dos bolígrafos y un cuaderno.
Max:	Vale, de acuerdo.

LECCIÓN 5

(En la empresa)
Parte I: ¿QUÉ VAS A HACER AHORA?

Ueda:	Por fin son las cinco. ¿Ya has terminado el trabajo?
Ozaki:	Sí. Y tú, ¿qué vas a hacer ahora? Yo ceno con John-san y Maria-san. ¿Por qué no vienes con nosotros?
Ueda:	¿De verdad? Con mucho gusto. ¿A qué hora verás a John-san y a María-san?
Ozaki:	Nos encontraremos a las cinco y media en la salida oeste de la estación de Shinjuku. Démonos prisa.
(En la estación de Shinjuku)	
Ueda:	¿Dónde cenaremos?
Ozaki:	Comeremos comida japonesa en el restaurante de siempre. Como hoy es viernes y quizás esté lleno, he reservado una mesa por teléfono hace un rato.
Ozaki:	Aún no han llegado. Esperémoslos aquí. Ah, Ueda-san, ya vienen. Voy a presentártelos a los dos.

Parte II : ¿VAS A KYOTO A MENUDO?

Ozaki:	John-san, ¿por qué no vamos a Kyoto el próximo sábado? Tú aún no lo conoces, ¿verdad? Si quieres, te hago de guía.
John:	¡Oh, sí! ¡Por favor! ¿Vas a Kyoto a menudo?

Ozaki:	Últimamente no voy mucho. Pero antes iba a menudo.
John:	¿En qué iremos a Kyoto? ¿Iremos en tu coche?
Ozaki:	No, iremos en *shinkansen*.
John:	¿El sábado, en un día, podremos ver Kyoto?
Ozaki:	En un día no podremos verlo todo. En Kyoto hay muchos templos famosos, jardines, edificios antiguos... Por lo tanto, pasaremos la noche del sábado en Kyoto. Y pasearemos tranquilamente por Kyoto.
John:	¡Oh, qué bien! No conozco Kyoto en absoluto. Por eso, hoy me compraré un libro sobre Kyoto.

LECCIÓN 6

Parte I: SI QUIERES, NOS ALOJAMOS EN UN *RYOKAN*

(En la estación)

John:	Qué rápido es el *shinkansen*, ¿verdad? Ya hemos llegado a Kyoto.
Ozaki:	De Tokio a Kyoto hemos tardado exactamente dos horas y media.
John:	¿Qué hacemos ahora? ¿Buscamos hotel?
Ozaki:	Pues sí. John-san, si quieres, nos alojamos en un *ryokan*.
John:	¿En un *ryokan*? ¡Qué bien! Sí, alojémonos en uno. Tú antes venías a Kyoto a menudo, ¿verdad? ¿Venías con alguien?
Ozaki:	No, siempre venía solo.
John:	¿Dónde te alojabas? ¿En un hotel?
Ozaki:	No, no me alojaba en un hotel. Siempre me alojaba en un *ryokan*. ¡Va! Vamos al *ryokan* donde solía alojarme.

LECCIÓN 7

Parte I: DETESTO LA GRAMÁTICA

Lee:	¡Qué aburrida ha sido la clase de gramática de hoy! A mí me gusta hablar japonés, pero detesto estudiar gramática. ¿Y tú?
John:	A mí me gusta la conversación y también la gramática. Pero, es que, Lee-san, la gramática es muy importante. Tú debes querer hablar bien el japonés, ¿no? Pues para hablarlo correctamente, la gramática es imprescindible.

Lee:	No me gusta el profesor de gramática. No tiene ningún sentido del humor. Además, enseguida se enfada. A mí me da miedo.
John:	Ah, ya. Por cierto, el lunes de la semana que viene hay examen de gramática, ¿verdad?.
Lee:	¡Oh, no! No entiendo la gramática en absoluto. ¡Me duele la cabeza! Quiero un buen libro de gramática. John-san, ¿conoces algún libro que esté bien?
John:	Sí.

Parte II: QUIERO ESCUCHAR UN CONCIERTO DE ROCK

Kim:	Jaime-san, vas a ir el próximo sábado a ver *kabuki* con los de la clase?
Jaime:	Vi una vez *kabuki* por la televisión. ¡Es fantástico! No quiero perdérmelo. Y quiero ver el *onnagata* de Tamasaburoo. ¿Y tú, Kim-san, qué harás?
Kim:	A mí no me apetece verlo. A mí no me gustan demasiado las artes tradicionales. Pero, en cambio, quiero escuchar un concierto de rock japonés.
Jaime:	¡Pero si las artes tradicionales japonesas son maravillosas! Yo quiero conocerlas más. ¿A ti no te gustan las artes antiguas japonesas?
Kim:	No, a mí no me gustan las cosas antiguas. Yo quiero aprender pronto japonés y colocarme en una empresa japonesa.

LECCIÓN 8

Parte I: KIM ESTÁ LEYENDO UN LIBRO EN LA HABITACIÓN

John:	¿Qué estabas haciendo, María-san?
María:	Estaba escribiendo la redacción de los deberes.
John:	Hoy veré a Ozaki-san, a Ueda-san y a Matsumoto-san e iremos a Asakusa. ¿Por qué no vienes con nosotros?
María:	Yo fui la semana pasada con Marie-san y Lee-san.
John:	¿Y qué tal, Asakusa?
María:	¡Muy bien! Vimos las *nakamise* de Asakusa y el templo, y paseamos por los alrededores. El ambiente de Shitamachi es muy bueno. Querría volver, pero hoy hago la

	colada y plancho la ropa. Así que, es una lástima, pero...
John:	Ah, claro. ¿Le apetecería a alguien ir con nosotros?
María:	Kim-san irá. Ella aún no conoce Asakusa.
John:	¿Dónde está Kim-san ahora?
María:	Pues quizá esté en su habitación leyendo un libro.

Parte II: ESTÁ SENTADA ALLÍ.
(En Asakusa)

John:	¡Cuántas tiendas hay! ¿Qué venden?
Ueda:	Venden recuerdos. John-san, ¿comprarás algo?
John:	Pues, primero veré las tiendas y decidiré.

(Un poco después)

Ozaki:	¡Oye, Ueda-san, John-san no está!
Ueda:	John-san está delante de aquella tienda mirando algo. Como John-san es alto, enseguida sobresale.
Ozaki:	¿Dónde está Kim-san?
Ueda:	Allí. Está sentada allí. ¿Qué le pasará?
Ozaki:	Kim-san, ¿qué te pasa?
Kim:	Es que ya llevamos dos horas andando, mirando cosas, y estoy un poco cansada. Además, tengo sed.
Ozaki:	¡Ah, claro! ¿Estás cansada? Yo también tengo un poco de sed. Tomemos algo en alguna cafetería y descansemos un poco.

LECCIÓN 9

Parte I: MÍRALO, POR FAVOR
(En el vestíbulo de la residencia)

Giorgio:	Lee-san, ¿qué estabas comprando ahora en el quiosco?
Lee:	Como quiero conocer bien Tokio, estaba comprando una guía de Tokio.
Giorgio:	Oye, yo querría ir un día de ésos al *Museo de Edo-Tokio*, ¿sale en esa guía cómo ir?
Lee:	Ahora te lo miro. Espera un poco. Pues, primero coges el metro en la estación Shin-nakano y vas hasta Shinjuku. En Shinjuku, haces transbordo a JR y bajas en la estación de Ryoogoku. El *Museo de Edo-Tokio* está cerca de la Estación.
Giorgio:	De acuerdo.
Max:	Lee-san, ¿Y a Kanda, cómo se va? Por favor, míralo. Es que quiero ir a las librerías de viejo.

Lee:	Pues, a Kanda... Vas en metro de Shin-nakano a la estación de Ootemachi y cambias de metro.
Max:	¿A qué línea hago transbordo?
Lee:	Cambias a la línea Hanzoomon y bajas en Jinboochoo.
Max:	Muchas gracias.

Parte II: ¿PUEDO IR CONTIGO?

María:	¿Giorgio-san, sales?
Giorgio:	Sí, voy al *Museo de Edo-Tokio*.
María:	Oh, ¿de verdad? ¿puedo ir contigo? Me apetecía verlo desde hace tiempo.
Giorgio:	Claro que sí.
María:	Entonces, ¿puedo cambiarme de ropa en un momento?
Giorgio:	De acuerdo. Te espero aquí.
(Veinte minutos después)	
María:	Siento haberte hecho esperar. He traído la cámara fotográfica, ¿se pueden hacer fotografías en el museo?
Giorgio:	Normalmente, en los museos y en los museos de arte no se pueden hacer fotografías.
María:	Ah, claro. Entonces con el catálogo o unas postales ya estará bien.

LECCIÓN 10

DESAYUNO MIRANDO LAS NOTICIAS
REDACCIÓN DE MARÍA-SAN

Un día de mi vida cotidiana.

Cada mañana me levanto a las siete. Antes del desayuno, me lavo la cara y me cepillo los dientes. Cuando he terminado, desayuno mirando las noticias de la mañana de la televisión en el comedor de la residencia de estudiantes. Después del desayuno, voy a mi habitación a coger el libro de texto y el cuaderno. La clase de japonés empieza a las nueve. A las nueve menos cuarto voy al aula. Espero al profesor charlando con John-san, Kim-san, Lee-san, Max-san y los demás. De nueve a doce hay clases de conversación, gramática, redacción e ideogramas. Después de terminar las clases, vamos a comer. Casi siempre comemos en el comedor de la residencia de estudiantes. Después del almuerzo, hago muchas cosas. Por ejemplo: estudio, hago la compra, la limpieza... Una vez cada dos semanas voy a ver una película. A veces veo a Ozaki-san, a Ueda-san y a Matsumoto-san y hablamos mientras tomamos algo. Ceno a las siete. Despues de la cena, veo un poco la televisión, hablo con mis amigos y preparo las clases de mañana. Después me baño. Antes de venir a Japón, en mi país, me duchaba por la mañana después de levantarme. Pero, en Japón, me baño por la noche. Me acuesto alrededor de las once. Pero antes de dormir, leo durante unos treinta minutos.

LECCIÓN 11

(En la escuela de japonés)
PARTE I: HE PODIDO RESPONDER LAS PREGUNTAS DE GRAMÁTICA

Kim:	¿Cómo te ha ido el examen de hoy?
Teresa:	No he entendido bien las preguntas de partículas. A mí, las partículas me resultan difíciles. Las otras preguntas, las he podido responder, pero...
Jaime:	Yo, las preguntas de gramática, las he respondido, pero no he sabido escribir los ideogramas. Sé leer los ideogramas, pero escribirlos es muy difícil. Necesito un buen libro de ideogramas. A propósito, Teresa-san, ¿tú sabes leer y escribir ideogramas?
Teresa:	Pues yo cada día hago ejercicios de ideogramas. Pero es muy difícil aprenderlos. Kim-san, ¿y a ti cómo te ha ido?
Kim:	¿El examen de hoy? Me ha ido bastante bien.
Teresa:	Ah, ya. Es que tú sabes mucho japonés. ¡Te envidio!
Kim:	¡Oh, no! ¡Qué va!

Parte II: ¿ADÓNDE OS HA INVITADO?

John:	Hoy es el cumpleaños de Ozaki-san. Por eso, nos ha invitado a cenar a Ueda-san, a Matsumoto-san, a María-san y a mí.
Lee:	Ah, ¿sí? ¿Adónde os ha invitado?
John:	A un restaurante de cocina japonesa. Hemos comido *shabu-shabu*. ¡Qué bueno estaba!
Lee:	Entonces, ¿tú le has regalado algo a Ozaki-san?
John:	Sí, le he regalado un CD de música clásica.
Lee:	Yo también quiero comer una vez *shabu-shabu*. Llévame alguna vez a ese restaurante.
John:	Sí. Ya te llevaré. Pero pagaremos la cuenta a medias.

LECCIÓN 12

Parte I: MAÑANA NO LLEGUES TARDE A CLASE
DIARIO DE JOHN

Hoy ha sido un día horroroso. Es que ayer me acosté tarde. Por eso, esta mañana no podía levantarme. Siempre desayuno antes de ir a clase, pero hoy he ido a la escuela sin desayunar. He llegado con retraso a la primera clase. Como he salido precipitadamente de la residencia de estudiantes, he ido a clase sin llevar los deberes. No había dormido mucho, por lo tanto durante la clase tenía sueño y me la he pasado mal. Tampoco he entendido bien las explicaciones del profesor.

Al terminar la primera clase, el profesor me ha dicho:

"John-san, mañana no llegues tarde a clase. Y tampoco olvides los deberes".

Parte II: ME DUELE LA CABEZA

Médico:	¿Qué le pasa?
Jaime:	Que desde ayer por la noche me duele la cabeza. También tengo tos.
Médico:	¿Tiene fiebre?
Jaime:	Sí. Ayer por la noche no era muy alta, pero esta mañana tenía unos treinta y ocho grados. Además, tengo la nariz tapada y me cuesta respirar.
Médico:	Abra la boca. Tiene la garganta inflamada. Es un resfriado. Le daré un medicamento, tómelo tres veces al día después de las comidas.
Jaime:	¿Hasta cuándo debo tomarlo?
Médico:	Tómelo tres o cuatro días.
Jaime:	Mañana tengo examen, ¿puedo ir a la escuela?
Médico:	Hasta que baje la fiebre, no salga. Tampoco puede bañarse.
Jaime:	De acuerdo. Muchísimas gracias.

LECCIÓN 13

Parte I: UEDA-SAN HA DICHO QUE IRÁ A HAKONE.

(En la residencia de estudiantes)

María:	Lee-san, hoy me he encontrado por casualidad a Ueda-san en Shinjuku.
Lee:	Ah, ¿sí? Yo hace bastante tiempo que no veo a Ueda-san, a Ozaki-san y a los demás. ¿Estaba bien?
María:	Sí, estaba bien. Ha dicho que quiere verte. Yo le he dicho a Ueda-san: "¿Por qué no vamos alguna vez todos juntos a alguna parte?"
Lee:	El próximo fin de semana llamaré a Ueda-san por teléfono.
María:	Yo también le he preguntado: "¿Estás libre el próximo fin de semana?" Pero Ueda-san me ha dicho que el próximo fin de semana irá a Hakone con un amigo que viene de Osaka y que pasarán allí la noche. Así que el próximo fin de semana ella no estará.
Lee:	¡Ah, caramba! De modo que Ueda-

	san tiene amigos en Osaka. ¿Y qué hace ese amigo?
María:	Me ha dicho que está empleado en una empresa de comercio exterior que hay en Osaka.
Lee:	Ah, ¿sí?

Parte II: HARÉ LA COMPRA, LA COLADA...

Max:	Elizabeth-san, ¿qué harás los próximos días de fiesta? ¿Irás a alguna parte?
Elizabeth:	¿Yo? No, no iré a ninguna parte. Haré la compra, la colada, limpiaré mi habitación... Además, durante estos días quiero leer el libro que le he pedido prestado a María-san. ¿Y tú?
Max:	Pues...., la verdad es que querría ir a Kyoto o a Nara, pero como este mes he hecho muchas compras, no tengo dinero. Así que aquí estaré. En mi país, los días de fiesta, siempre iba a la montaña, a pescar...
Elizabeth:	Yo también, en mi país, iba a alguna parte con mi familia, veía a mis amigos... Pero, como aún no tengo amigos japoneses, es muy aburrido.
Max:	Entonces, si quieres, podemos ir los dos a alguna parte. Quizás podamos ir al cine o algo por el estilo.

パート2 「尾崎さんはよく京都へ行きますか。」
会話2
頻度を表わす副詞「よく、いつも、ときどき、など」
メモ：時間を表わす言葉＋に、副詞
ごい：動詞表

第6課
パート1 「よかったら、旅館に泊まりませんか。」
会話
勧誘の表現「〜ませんか」「〜ましょうか」
動詞の過去形の肯定形と否定形
連語「どこか」「だれか」「なにか」
期間「一日、一週間、一ヶ月など」
回数「一日に一度など」
形容詞の過去形の肯定形と否定形
形容動詞の過去形の肯定形と否定形
メモ：連語表
ごい

第7課
パート1 「私は文法がきらいです。」
会話1
「〜は〜が 形容詞／形容動詞」「好き、きらい、ほしい、など」
「しか」「も」
名詞化「の」「こと」
パート2 「私はロックのコンサートを聞きたいです。」
会話2
「たい」
強調を表わす「は」
「も」の使い方
メモ：趣味（スポーツ、音楽、映画、読書）
ごい

第8課
パート1 「キムさんは部屋で本を読んでいます。」
会話1
「テ形」
「現在進行形」
パート2 「あそこに座っています。」
会話2
状態（人、もの）「〜は〜が」
人体の描写
服やアクセサリーを身につける表現
メモ：人体の描写で使う表現
　　　　動詞表
　　　　服やアクセサリーを身につける表現
ごい

第9課
パート1 「すみませんが、見てください。」
会話1
「テ形＋ください、くださいませんか」
「テ形＋はいけません」
パート2 「私もいっしょに行ってもいいですか。」
会話2
「テ形＋も」
「テ形＋もいいです／よろしい／かまいません（か）」
「までに」

メモ
ごい

第１０課
「ニュースを見ながら、朝ご飯を食べます。」
「〜ながら」
「動詞＋前に」「名詞＋の＋前に」
「テ形＋から」「名詞＋の＋後で」
「動作＋に＋行く／来る」
メモ
ごい

第１１課
パート１「ぼくは文法の問題が出来ました。」
会話１
「〜は〜が 動詞（わかる、いる、できる、など）」
「〜は〜動詞の辞書形＋ことが＋できる」
パート２ 「どこに招待してもらいましたか。」
会話２
「あげる」「もらう」「くれる」
「さしあげる」「いただく」「くださる」
「テ形＋あげる／もらう／くれる」
「もう」「まだ」
メモ ：「ごろ」「ぐらい」
ごい

第１２課
パート１ 「明日はクラスに遅れないでください。」
会話１
動詞の基本体
「動詞基本体の現在否定形＋で＋文」
「動詞基本体の現在否定形＋で＋ください」
「動詞基本体の過去肯定形＋あとで。」
パート２ 「頭が痛いんです。」
形容詞の基本体
形容動詞の基本体
「〜ん／〜のです」
メモ：病気の兆候
　　　　動詞の活用（テ形と基本体）
ごい

第１３課
パート１ 「上田さんは箱根に行くと言いました。」
会話１
直接話法と間接話法
関係節
パート２ 「私は買物をしたり、洗濯をしたりします。」
会話２
「〜たり」の使い方
メモ：形容詞の基本体表
ごい